SÉRIE NOIRE

sous la direction de Marcel Duhamel

NOUVEAUTÉS DU MOIS

FÉVRIER :

1651 — LE TEMPS DES CHARLATANS
(CLIFTON ADAMS)
... coïncide avec celui de la cerise

1652 — CINÉPOLAR
(SCOTT MITCHELL)
Suspensorama

1653 — ON SE DÉFONCE
(CARTER BROWN)
L. S. D. C. K. K.

1654 — HARO SUR LE SÉNATEUR
(ROSS THOMAS)
Un baudet, dans son genre

1655 — OU ES-TU, MILITAIRE?
(BILL PRONZINI)
J'ai fait le mur de la vie privée

1656 — AH, ÇA I. R. A.!
(JEAN-GÉRARD IMBAR)
Les Anglichocrates à la lanterne!

DU MÊME AUTEUR

477. A PALIR LA NUIT
482. UN PAQUET DE BLONDES
491. DITES-LE AVEC DES PRUNEAUX
500. DU SOLEIL POUR LES CAVES
506. TROIS CADAVRES AU PENSIONNAT
512. TAILLE DE CROUPIÈRE
519. UN BRIN D'APOCALYPSE
523. ENVOYEZ LA SOUDURE!
531. PIÈCE A TIROIRS
537. DU FEU PAR LES NASEAUX
548. CASH-CASH
554. AU SENTIMENT
560. BOUCHE , QUE VEUX-TU?
572. MISS TRANSE
579. UNE BLONDE A RÉACTIONS
584. PARÉO-PARADE
590. BALLET BLEU
597. ADIOS , CHIQUITA!
603. CIBLE ÉMOUVANTE
609. DEMAIN, ON TUE
615. LA TOURNÉE DU PATRON
619. ALLEZ , ROULEZ!
626. TU VIENS, SHÉRIFF?
630. SOLO DE BARYTON
638. ON SE TAPE LA TÊTE
642. Y A DU TIRAGE
650. TÉLÉ-MÉLO
657. LA BERGÈRE EN COLÈRE
663. JAMAIS DE MAVIS!
669. DU BEAU LINGE
675. MAVIS SE DÉVISSE
681. AU PARFUM
700. ŒIL DE SPHINX
707. BLAGUE DANS LE COIN
734. LE GLAS POUR REBECCA
740. JUTEUX A SOUHAIT
746. TROIS TÊTES SOUS LE MÊME BON-NET
765. DIAPHANE EN DIABLE
777. LE TRONC S. V. P.!
790. UN CŒUR QUI SAIGNE
798. SE MÉFIER DES CONTREFAÇONS
802. LOIN DE RIS-ORANGIS
812. LES DIAMS DE LA COURONNE
823. DOLLARS A VAU-L'EAU
835. LE VALSEUR ÉNIGMATIQUE
847. LA NUE ET LE MORT
862. NETTOYAGE A CHAUD
871. UNE BLONDE A L'EAU
883. CARTE FORCÉE
897. ÉCLIPSE D'ÉTOILE
905. DE POIL ET DE POUDRE
913. LE FOL AMOUR DE MAVIS
920. MA CABALE A MACAO
927. LA POUPÉE MÉCANIQUE
935. UNE NYMPHE DE PERDUE
943. LA RONFLETTE
951. QUESTION DE PICAILLONS
959. SANS VOILES
967. SENS INTERDITS!
975. ON DEMANDE UNE VICTIME
983. LE DIABLE INCARNÉ
991. LE BAL DES OSSELETS
1002. VOLEUSE DE SANTÉ
1007. DU SANG A L'ENCAN
1015. VUE SUR UN NU
1023. DESCENTE DE CAVE
1031. HOMICIDES BLUES
1039. L'ÉPOUSE DU DIMANCHE
1047. LE MARTEAU DE THOR
1055. L'EFFEUILLEUR
1063. LA STAR D'OUTRE-MONDE
1071. ENFOURCHEZ VOS BALAIS
1079. LE BIKINI BLANC
1087. VAMPIRIQUES FREDAINES
1095. UN TUEUR PARMI NOUS
1103. PARASITECTOMIE
1111. TOUT SUR LE PALETOT
1119. FERME TA MALLE!
1128. UNE TIGRESSE DANS LE MOTEUR
1131. SAUVONS LA FARCE!
1143. CALL-GIRL SÉRÉNADE
1149. LA VEUVE AUX YEUX SECS
1161. COUP DE TÊTE
1173. A COUPS DE GAFFES
1179. LA BLONDE ÉRUPTIVE
1191. LE SINGE EST AU PARFUM
1203. LE CERCUEIL CAPITONNÉ
1215. ORAGES INTER-LOPES
1251. LA FOSSE AUX SORCIÈRES
1263. MINI-MEURTRES
1299. BILLETS DE FAIRE-PART
1311. LA VIPÈRE DU MANOIR
1323. CHABANAIS CHEZ LES ZOULOUS
1335. HOLLYWOOD-BACCHANALE
1347. REMETS TON PÉPLUM!
1359. LA BLONDE ENCHAINÉE
1371. SUR LES CHAPEAUX DE ROUES
1383. POSE TA CHIQUE!
1395. LE POIDS DU CRIME
1413. LE MUFLE DE LA BÊTE
1422. BONNE ANNÉE POUR LES GNOMES
1431. UN JEU DE FOLLES
1441. OU ES-TU CHARITY?
1453. POLISSONNERIES
1465. PSYCHOSEXIE
1498. P. U. T. E. S.
1523. LA FÊTE D'UNE MÈRE
1534. FLAMINI L'INVISIBLE
1548. MEURTRES ASEPTIQUES
1557. L'ANGE AUX AILES DE PLOMB
1565. PARADIS AU RABAIS
1573. MAVIS ET LE VICE
1581. OH, CES AMAZONES!
1597. PORNORAMA
1637. FAIS PAS LE CLOWN!
1645. MAÎTRE, FAIS-MOI PEUR!

à paraître ;

1661. MINUIT, PAÏENS!

CARTER BROWN

On se défonce

TRADUIT DE L'AMÉRICAIN
PAR M. SINET

nrf

GALLIMARD

Titre original :

MURDER ON HIGH

DU MÊME AUTEUR

477. A PALIR LA NUIT
482. UN PAQUET DE BLONDES
491. DITES-LE AVEC DES PRUNEAUX
500. DU SOLEIL POUR LES CAVES
506. TROIS CADAVRES AU PENSIONNAT
512. TAILLE DE CROUPIÈRE
519. UN BRIN D'APOCALYPSE
523. ENVOYEZ LA SOUDURE!
531. PIÈCE A TIROIRS
537. DU FEU PAR LES NASEAUX
548. CASH-CASH
554. AU SENTIMENT
560. BOUCHE, QUE VEUX-TU?
572. MISS TRANSE
579. UNE BLONDE A RÉACTIONS
584. PARÉO-PARADE
590. BALLET BLEU
597. ADIOS, CHIQUITA!
603. CIBLE ÉMOUVANTE
609. DEMAIN, ON TUE
615. LA TOURNÉE DU PATRON
619. ALLEZ, ROULEZ!
626. TU VIENS, SHÉRIFF?
630. SOLO DE BARYTON
638. ON SE TAPE LA TÊTE
642. Y A DU TIRAGE
650. TÉLÉ-MÉLO
657. LA BERGÈRE EN COLÈRE
663. JAMAIS DE MAVIS!
669. DU BEAU LINGE
675. MAVIS SE DÉVISSE
681. AU PARFUM
700. ŒIL DE SPHINX
707. BLAGUE DANS LE COIN
734. LE GLAS POUR REBECCA
740. JUTEUX A SOUHAIT
746. TROIS TÊTES SOUS LE MÊME BONNET
765. DIAPHANE EN DIABLE
777. LE TRONC S. V. P.!
790. UN CŒUR QUI SAIGNE
798. SE MÉFIER DES CONTREFAÇONS
802. LOIN DE RIS-ORANGIS
812. LES DIAMS DE LA COURONNE
823. DOLLARS A VAU-L'EAU
835. LE VALSEUR ÉNIGMATIQUE
847. LA NUE ET LE MORT
862. NETTOYAGE A CHAUD
871. UNE BLONDE A L'EAU
883. CARTE FORCÉE
897. ÉCLIPSE D'ÉTOILE
905. DE POIL ET DE POUDRE
913. LE FOL AMOUR DE MAVIS
920. MA CABALE A MACAO
927. LA POUPÉE MÉCANIQUE
935. UNE NYMPHE DE PERDUE
943. LA RONFLETTE
951. QUESTION DE PICAILLONS
959. SANS VOILES
967. SENS INTERDITS!
975. ON DEMANDE UNE VICTIME
983. LE DIABLE INCARNÉ
991. LE BAL DES OSSELETS
1002. VOLEUSE DE SANTÉ
1007. DU SANG A L'ENCAN
1015. VUE SUR UN NU
1023. DESCENTE DE CAVE
1031. HOMICIDES BLUES
1039. L'ÉPOUSE DU DIMANCHE
1047. LE MARTEAU DE THOR
1055. L'EFFEUILLEUR
1063. LA STAR D'OUTRE-MONDE
1071. ENFOURCHEZ VOS BALAIS
1079. LE BIKINI BLANC
1087. VAMPIRIQUES FREDAINES
1095. UN TUEUR PARMI NOUS
1103. PARASITECTOMIE
1111. TOUT SUR LE PALETOT
1119. FERME TA MALLE!
1128. UNE TIGRESSE DANS LE MOTEUR
1131. SAUVONS LA FARCE!
1143. CALL-GIRL SÉRÉNADE
1149. LA VEUVE AUX YEUX SECS
1161. COUP DE TÊTE
1173. A COUPS DE GAFFES
1179. LA BLONDE ÉRUPTIVE
1191. LE SINGE EST AU PARFUM
1203. LE CERCUEIL CAPITONNÉ
1215. ORAGES INTER-LOPES
1251. LA FOSSE AUX SORCIÈRES
1263. MINI-MEURTRES
1299. BILLETS DE FAIRE-PART
1311. LA VIPÈRE DU MANOIR
1323. CHABANAIS CHEZ LES ZOULOUS
1335. HOLLYWOOD-BACCHANALE
1347. REMETS TON PÉPLUM!
1359. LA BLONDE ENCHAINÉE
1371. SUR LES CHAPEAUX DE ROUES
1383. POSE TA CHIQUE!
1395. LE POIDS DU CRIME
1413. LE MUFLE DE LA BÊTE
1422. BONNE ANNÉE POUR LES GNOMES
1431. UN JEU DE FOLLES
1441. OU ES-TU CHARITY?
1453. POLISSONNERIES
1465. PSYCHOSEXIE
1498. P. U. T. E. S.
1523. LA FÊTE D'UNE MÈRE
1534. FLAMINI L'INVISIBLE
1548. MEURTRES ASEPTIQUES
1557. L'ANGE AUX AILES DE PLOMB
1565. PARADIS AU RABAIS
1573. MAVIS ET LE VICE
1581. OH, CES AMAZONES!
1597. PORNORAMA
1637. FAIS PAS LE CLOWN!
1645. MAÎTRE, FAIS-MOI PEUR!

à paraître :

1661. MINUIT, PAÏENS!

SÉRIE NOIRE

sous la direction de Marcel Duhamel

NOUVEAUTÉS DU MOIS

FÉVRIER :

1651 — LE TEMPS DES CHARLATANS
(CLIFTON ADAMS)
... coïncide avec celui de la cerise

1652 — CINÉPOLAR
(SCOTT MITCHELL)
Suspensorama

1653 — ON SE DÉFONCE
(CARTER BROWN)
L. S. D. C. K. K.

1654 — HARO SUR LE SÉNATEUR
(ROSS THOMAS)
Un baudet, dans son genre

1655 — OU ES-TU, MILITAIRE?
(BILL PRONZINI)
J'ai fait le mur de la vie privée

1656 — AH, ÇA I. R. A.!
(JEAN-GÉRARD IMBAR)
Les Anglichocrates à la lanterne!

CHAPITRE PREMIER

La vieille maison de bois menaçait d'être emportée par un jour de grand vent, tout comme les six autres bâtisses qui luttaient pour survivre dans l'unique quartier anémié de Forestville. A moins qu'elle ne soit envahie et étouffée par l'espèce de jungle qui dévorait déjà la cour de façade.

Je frappai à la porte d'entrée, tout doucement pour ne pas trop ébranler la baraque, et je regardai les écailles de peinture vert passé tomber sur les planches nues du perron. A l'intérieur retentissait une musique qui aurait pu aisément couvrir le bruit d'un avion supersonique volant à faible altitude. Je frissonnai en pensant aux dégâts que devaient produire les vibrations sur les fondations.

Naturellement, personne ne m'entendit frapper. Vu l'ampleur des sons qui martelaient les murs, personne ne m'entendrait probablement non plus si j'enfonçais la lourde à coups de pied. En poireautant encore un peu, j'avais des chances de la voir s'écrouler toute seule. Peu désireux d'attendre la catastrophe, j'ouvris la porte et entrai directement.

Les vagues de frénésie électronique m'explosèrent dans la tête et j'appuyai ma main contre un mur pour tâcher de retrouver mon équilibre. Le mur tremblait autant que moi, mais je réussis à adapter mon cerveau à la puissance d'un orchestre de rock enragé qui braillait des orgasmes hystériques ; le volume du son était un véritable exploit technologique.

— Qu'est-ce que tu veux, Papa Cave ? beugla une voix éraillée qui semblait avoir été rabotée au papier de verre.

— Je m'appelle Randall Roberts, répondis-je brillamment en fixant l'énorme silhouette qui venait de surgir de l'obscurité.

Il n'y avait aucune lumière dans la pièce, mais je distinguais bien le type grâce au jour de la rue, qui filtrait par la porte, derrière moi. Je ne pus lâcher que mon nom, car la vision me laissa sans voix.

D'abord, il était nu, ce qui est déjà assez effrayant quand on considère qu'il mesurait environ un mètre quatre-vingt-cinq, qu'il était entièrement recouvert de poils épais et bouclés, doté de longs bras massifs et de courtes jambes trapues, et qu'il possédait par-dessus le marché un large visage au nez plat, aux petits yeux flamboyants, un front en pente et une arcade sourcilière saillante pourvue de sourcils noirs et touffus. Il restait planté à me fusiller du regard.

Je finis par me remettre du choc.

— Je cherche une fille, mais je ne pense pas

qu'il s'agisse de vous, fis-je quand j'eus décidé qu'il était réel et virtuellement inoffensif.

— C'est farci de filles ici, ricana-t-il en claquant ses grosses lèvres. Mais si t'en veux une, faut prouver que t'es dans le coup.

— A poil, chéri ! cria une voix féminine et provocante, dans l'obscurité.

— Et ferme cette sacrée porte ! gronda une voix mâle, dotée pourtant d'une pointe de soprano fêlé, et résolument mécontente.

Qu'avais-je à perdre, à part peut-être ma vertu ? Je fermai la porte d'un coup de talon. Les ténèbres m'enveloppèrent comme de l'eau chaude et les ondes sonores me submergèrent, tel un puissant ressac.

— Qui c'est, cette fille, elle a un nom ? rugit le grand poilu qui me reluquait toujours à quelque cinquante centimètres de distance.

J'arrivais encore à le percevoir, mais de justesse.

— Sandra Stillwell, répondis-je.

Ma voix commençait à se briser à force de hurler.

— Connais pas, fit-il avec indifférence. D'ailleurs, qu'est-ce que c'est qu'un nom ? Personne ne s'embarrasse de ces histoires de caves, ici. A quoi elle ressemble ?

— Elle mesure environ un mètre soixante-cinq. Une rousse au visage pâle et fin. Très frappante, presque belle. Enfin, c'est ce qui m'a semblé d'après ses photos.

— Tu ne la connais pas personnellement ?

Une pointe de méfiance se glissa dans sa voix.

— Non, admis-je. Je suis avocat... Et elle est ma cliente.

— Comment est-ce qu'elle peut être ta cliente si tu l'as jamais vue ?

— Et comment se fait-il que je doive répondre à vos questions alors que je ne sais même pas qui vous êtes ?

— Harry. On m'appelle Harry-le-Singe, vu que je ressemble à un singe, comme tu l'as peut-être remarqué. Mais je répète, on s'embarrasse pas de noms, ici, c'est bon pour les caves.

— Le formalisme ne semble pas votre fort, reconnus-je. Mais vous m'aideriez beaucoup en me disant où je peux trouver cette fille.

— Bien sûr. Seulement t'es peut-être pas le genre de mec que je présenterais à une fille. Il se peut qu'elle se soit taillée de chez ses vieux et que tu veuilles la ramener. Il se peut que t'appartiennes à la Brigade des Stups et que tu cherches à nous épingler. Bref, il se peut que tu sois une ordure !

A présent il se tenait si près de moi que je voyais l'épaisse masse de poils sur sa poitrine et recevais son haleine lourde et chaude en pleine poire.

— On ferait peut-être bien de le fouiller, pour voir si c'est un flic !

— Ouais. Invitons-le à se joindre à la fête !

— Il a un beau corps puissant. Laisse-moi le déshabiller !

La dernière voix était douce, à peine audible au-dessus de la musique. En fait, je ne l'entendis que parce que la fille se trouvait à quelques centimètres de mon oreille.

Je me retournai et plongeai mon regard dans des yeux sensuels qui semblaient briller d'une lumière intérieure. Elle était grande, presque aussi grande que moi, environ un mètre quatre-vingt-cinq. Et aussi nue qu'Harry. J'étais assez proche d'elle pour m'en rendre compte. Elle avait un corps mince, de longues cuisses fuselées, un ventre plat, des hanches étroites et des seins ronds, si durs et si fermes qu'on aurait craint de les abîmer en y posant un seul doigt.

— Je suis avocat, répétai-je désespérément. Et je cherche une fille appelée à bénéficier d'un testament. Elle s'est taillée de chez elle, mais je ne suis pas venu la ramener. Elle est assez grande pour vivre sa vie. Je veux simplement lui remettre de l'argent. Alors vous pourriez peut-être m'indiquer où la trouver et me laisser mes vêtements ?

— On ne va pas te les prendre, tes vêtements, mon chou, soupira la voix sibilante à mon oreille. Tu pourras les récupérer.

— Merci, marmonnai-je. Mais je deviens hystérique au moindre faux pli sur mon pantalon.

— Pauvre poussin. Plein de ces vieilles obsessions pour caves, hein ? (Ses bras glissèrent doucement le long de ma poitrine et ses doigts se mirent à déboutonner mon col.) Aucune importance. Nous serons gentils. Et il n'y aura pas le moindre faux pli sur cet effroyable pantalon bleu, c'est promis.

Ta mère ne s'apercevra même pas que tu l'as quitté.

— Vous êtes vraiment très aimable, émis-je faiblement en voyant ses doigts faire habilement sauter les boutons de ma chemise, un par un.

Lorsqu'elle arriva à la ceinture, j'essayai d'attraper sa main mais je ratai mon coup et mes doigts lui effleurèrent un sein. Il était aussi dur et ferme que prévu. Tandis que je le pinçais instinctivement, j'espérais qu'il ne casserait pas, comme prévu.

— D'ac, mec, gronda Harry à côté de moi. Je veux bien croire que t'es régulier. Alors maintenant, tu vas nous laisser gentiment t'aider à te détendre. On va te montrer à calmer ta manie de chercher des gens qui ne tiennent peut-être pas à être retrouvés. Et ne t'inquiète pas. Tôt ou tard, cette Sandra Stillwell finira par se pointer. Tu n'as qu'à t'amuser tranquillement en attendant.

— Harry a raison, me souffla la fille à l'oreille. Vous autres caves devez apprendre à cesser de vous agiter comme ça. L'important, c'est ce qui se passe à l'instant même. Qu'importe le reste ?

Mon pantalon tomba par terre et elle se baissa pour le ramasser. Elle le lança quelque part avec ma chemise et je compris aussi sec qu'elle n'avait fait que me chambrer à propos des faux plis. Après tout, quelques faux plis, ça n'importait pas vraiment. L'important, c'était de trouver Sandra Stillwell. Et si, dans ce but, je devais me déshabiller, qu'est-ce que j'en avais à foutre ? Sandra Stillwell pouvait fort bien se trouver dans la pièce, en plus.

Sinon, quelqu'un pourrait savoir où elle était. Car enfin, c'était l'adresse que m'avait donnée sa mère, et sa mère semblait une femme honnête. Bien sûr, elle s'imaginait que sa fille vivait en compagnie de quelques gentilles amies, mais ça n'avait rien à voir.

— Maintenant, entre faire la connaissance des autres filles, chuchota la grande brune d'une voix de gorge en me tirant par le bras.

— Nous n'avons même pas été présentés, objectai-je faiblement tandis qu'elle me tirait vers le centre obscur de la pièce.

— Les noms n'ont aucune importance, hurla-t-elle. Seuls les actes comptent.

— Et je parie que vous en avez un tas à votre actif, acquiesçai-je en décidant sur-le-champ de m'abandonner à mes impulsions les plus fondamentales.

La fille me poussa par terre et je sentis d'autres corps me cerner.

— Quel est le crétin qui a dit qu'à trois on forme une foule ? lançai-je avec ferveur tout en luttant contre la sensation de devenir la victime expiatoire livrée aux cinq cents insatiables filles du dieu Soleil.

— Combien vous croyez que nous sommes ? demanda une nouvelle voix lyrique derrière mon épaule.

— Aucune importance, du moment que vous êtes toutes des femelles.

Une autre fille glousa, quelque part du côté de mes pieds.

— Malgré l'obscurité, j'imagine que vous pouvez vous en assurer.

— Je n'ai encore jamais eu de mal à détecter la différence.

Soudain le souffle me manqua pour poursuivre ce vain persiflage. Quatre paires de mains se mirent à masser et à caresser ma chair. La fille qui m'avait fourré dans cette situation posa légèrement ses lèvres sur les miennes et commença à effectuer les choses les plus incroyables avec l'unique langue préhensible que j'aie rencontré de ma vie.

Plusieurs heures plus tard, je gisais, aplati dans une mare de sueur, en maudissant l'obscurité.

— Assez ! gémis-je. Je ne suis qu'un avocat faiblard, pas un athlète sexuel !

— Oh ! Harry, tu es un si bel animal, cria une voix perçante près de moi, par-dessus le martèlement de la musique.

— N'abandonne pas maintenant, vieux, protesta Harry-le-Singe. Il y a encore plus de filles dans l'autre pièce.

— Où sont tous les mecs qui devraient s'occuper d'elles ? jappai-je en tentant de me hisser au moins sur mes coudes.

Après un faible effort, ma tête retomba lourdement par terre et je restai allongé sans même avoir l'énergie de lever une main défensive, au cas où une horde d'Amazones dévoreuses d'hommes m'auraient attaqué brusquement. Brusquement je compris que la musique s'était arrêtée. Le grondement dans mes oreilles m'avait empêché de le remarquer plus tôt.

— Il n'y a que moi, grogna Harry. Et un type nommé Fraise-à-Cheval, mais il a atterri chez nous juste pour y crécher. Ça fait des heures que je ne l'ai pas entendu prononcer un mot.

— Tu veux dire que toutes ces filles... enfin tu vis ici avec... elles et toi... gémis-je faiblement.

— C'est le magnétisme animal, répondit-il aimablement. Je ressemble à un singe, mais ça ne repousse pas les filles, au contraire.

— Au moins, tu n'es pas avare, haletai-je. Combien sont-elles ?

— En ce moment, il y a huit filles et moi dans la baraque. Tu seras toujours le bienvenu ici, vieux. Ça permet une petite diversion et comme ça, les filles ne se lassent pas de moi, tu saisis ?

— J'essaie, fis-je avec franchise. Mais je n'arrive pas tout à fait à y croire.

— La formule est simple, poursuivit-il d'une voix rauque, basse et désinvolte malgré ses hoquets. Je suis un quart bounioule et trois quarts blanc. D'après un anthropologue que j'ai lu, le Noir est l'humain le plus spécialisé, et c'est le Blanc qui ressemble le plus, physiquement, aux singes. D'après moi, je représente un retour atavique à mes ancêtres blancs, avec tout juste assez de sang coloré pour me fournir ce supplément de sex-appeal. C'est une combinaison imbattable, vieux !

— Oh ! Harry, je meurs. Oh là là ! Je meurs vraiment. Oh ! Harrrrrryyyyyyyy...

— Dis-moi seulement où trouver Sandra Stillwell et je partirai lécher mes plaies en rampant, implorai-je faiblement.

Il y eut environ trente secondes de silence, puis Harry annonça calmement :

— D'accord, je crois ton histoire. Elle a habité ici un moment. Une de mes nanas l'avait amenée. Seulement elle, c'est le genre pucelle, vierge par vocation, si tu vois ce que je veux dire. Et elle débarque ici ! Elle a pas apprécié mon côté bestial. Elle a préféré suivre un clown spiritualiste et elle vit dans une communauté, quelques kilomètres en dehors de la ville. Je te ferai un plan et je t'expliquerai comment trouver l'endroit.

— Merci, dis-je en soulevant encore ma tête et en pliant mes doigts.

Je récupérais des forces, du moins aux extrémités.

— Je vais te chercher un crayon, Harry, murmura une voix subjuguée.

Les sons qui suivirent indiquèrent qu'elle se traînait à quatre pattes sur le tapis. Quelques secondes après, le bruit rampant cessa et une exclamation étouffée s'éleva.

— Dans quoi as-tu buté, chérie ? cria Harry. Il n'y a aucun meuble ici et toutes les autres filles sont parties à la salle de bains, à la cuisine ou je ne sais où.

— Il y en a peut-être une qui est restée, suggérai-je grivoisement. Pendant un moment, on les a tuées.

— Non, vieux, gloussa-t-il. Ces nanas sont increvables, si tu vois ce que je veux dire.

Je voyais. Rien que d'y penser, j'étais épuisé.

— Harrrrryyyyy ! hurla brusquement la fille, dans un cri perçant qui grimpait quatre à quatre les échelons de l'hystérie.

Je trouvai, Dieu sait comment, la force de bondir sur mes pieds en une fraction de seconde. Harry fut encore plus rapide.

— Bouge pas, mon chou, cria-t-il instamment. J'allume la lumière.

Un instant plus tard, la pièce s'emplit de la pâle lueur d'une ampoule de vingt-cinq watts, accrochée au plafond et tamisée par un abat-jour rouge. Ça n'avait rien à voir avec Son et Lumière, mais ça nous permit de distinguer quatre corps dans la pièce. Trois d'entre eux seulement étaient nus : Harry, moi et la fille, une petite blonde aux courts cheveux ondulés, fermement musclée. Et puis l'autre type, un rouquin en jeans et en chemise kaki, immobile, couché en boule sur le tapis, avec une seringue hypodermique près de sa main ouverte.

— Fraise-à-Cheval ? demandai-je en lançant un regard interrogateur à Harry.

— Ouais, répondit tristement le grand singe. Je ne te l'ai pas dit, c'est un drogué.

— C'était un drogué, rectifiai-je. Un acrobate de la voltige qui est tombé du trapèze.

— Ouais. A son arrivée, je l'avais trouvé en mauvais état. Mais qu'est-ce qu'on peut faire ?

On ne peut pas empêcher un mec de vivre sa vie.

— Il va falloir appeler les flics, fis-je remarquer. Quelque chose à arranger avant ?

Harry me regarda avec reconnaissance.

— Merci, vieux. Certaines des filles feraient mieux de se tailler. Elles sont trop jeunes pour être mêlées à ça.

— Alors magnez-vous, lançai-je. Et n'oubliez pas de vous habiller, pendant que vous y êtes.

— Tu restes ou tu te tires ?

— Je n'ai rien à offrir aux flics, et je ne tiens pas à me faire embarquer. Vous vous en tirerez bien tout seuls.

— D'accord. A un de ces jours.

Harry quitta la pièce en traînant les pieds.

Je baissai les yeux sur la blonde assise les jambes croisées par terre, en train de fixer le corps. Elle se rongeait les ongles, toujours à deux doigts de l'hystérie. Lorsqu'elle s'aperçut que je la regardais, elle leva la tête.

— C'était une cloche, soupira-t-elle pensivement, mais c'est une sale façon de décrocher. Vous préviendrez ses amis, vous voulez ?

— Ses amis ?

— Bien sûr. Vous allez voir Sandra Stillwell et la Tribu. Il en faisait partie.

Et elle me dessina un plan.

CHAPITRE II

Je marchais paisiblement à travers la calme forêt ombragée lorsqu'un cri de guerre indien fendit l'air avec la soudaineté d'un coup de tonnerre. Je bondis instinctivement vers l'arbre le plus proche et étreignis l'écorce rugueuse du séquoïa comme un ours affolé.

Un jeune homme aux longs cheveux bruns emmêlés qui semblaient avoir été lavés à la graisse de poulet fonçait sur moi à travers les pins. Il portait un serre-tête indien, une chemise et un pantalon de daim en loques et noir de crasse, et marchait nu-pieds. Il brandissait un tomahawk rouillé.

Je laissai échapper un glapissement et je m'accroupis, les poings serrés, prêt à m'élancer. La lutte indienne n'était pas précisément mon fort, mais je me sentais de taille à affronter ce Peau-Rouge au visage pâle. D'abord, je le surpassais de vingt bons centimètres et de cinquante kilos, et il souffrait visiblement de sous-alimentation avancée.

Il s'arrêta brusquement et le tomahawk retomba contre sa jambe. Son sourire nerveux se voulut accueillant et cordial.

— Eh ben ! mec, qu'est-ce qui vous prend ? Vous ne comprenez donc pas le salut peau-rouge ?

— Je croyais que le salut habituel était un sympathique « How » suivi d'un calumet de la paix. Pourquoi avez-vous sorti la hache de guerre ?

Je me redressai et commençai à me détendre. Son sourire s'élargit.

— J'étais en train de couper du bois. On prépare un civet de lapin, mon pote.

— Vous semblez en avoir besoin, grognai-je. Ça vous arrive de manger plus d'une fois par semaine ?

Il haussa les épaules en secouant les franges encrassées de son ensemble de daim.

— Le Peau-Rouge mène une vie dure. Il l'a toujours menée. Il faut abandonner toute la merde, les biberons chromés et la masse des saloperies de luxe que le Système nous tend pour nous coincer. Alors il ne reste plus rien. Sauf ce que les Indiens ont toujours eu pour vivre.

— Du civet de lapin ?

Il opina du bonnet ; il paraissait apprécier ma compréhension.

— Quand on arrive à en attraper un, fit-il.

— Pourquoi ne pas demander à un véritable Indien de vous apprendre à vivre de la terre ? Vous risqueriez moins la mort par inanition.

— Non, non, mec, marmonna-t-il vivement. On n'en est quand même pas là. On bouffe bien, et on a toute l'herbe nécessaire pour nourrir les lapins, ah ! ah !

Ses yeux eurent une lueur d'ironie et observèrent ma réaction.

— Je suis avocat, annonçai-je, pas flic.

Inutile de tourner autour du pot. Je n'étais encore jamais tombé dans une communauté hippie, mais je les connaissais assez pour savoir qu'avec eux, on n'arrivait à rien à moins de leur assurer qu'on n'était pas là pour les coffrer.

Il darda le regard de ses yeux sombres et soupçonneux dans les miens.

— Alors qu'est-ce que vous voulez ?

— Je cherche quelqu'un. Une certaine Sandra Stillwell.

Il secoua la tête du même air méfiant.

— Connais pas. Essayez plus bas sur la côte, à environ quinze kilomètres d'ici. Il y a une autre tribu qui vit sur la plage. Ils la connaissent peut-être.

— C'est une très jolie rouquine, un peu plus grande que vous, disons un mètre soixante-cinq. Elle a des yeux vert foncé et une peau blanche, veloutée. Elle est de Gary, dans l'Indiana.

Il secoua encore la tête.

— Connais pas.

— J'ai une photo.

Il taillada distraitement l'écorce du séquoïa avec son tomahawk, comme s'il m'entendait à peine. Ses yeux allaient sans cesse des arbres au ciel, puis à la terre, comme s'il craignait que tout disparaisse sans sa perpétuelle surveillance. Il resta silencieux pendant une bonne minute.

— Qu'est-ce que vous lui voulez ? finit-il par demander.

Ça ne le regardait en rien, mais j'éviterais pas mal de parlottes en le lui racontant. Je ne tenais pas à passer ma journée dans la forêt à discuter avec une espèce d'Indien blanc.

— Elle a hérité et je dois le lui annoncer.

Ses lèvres minces s'étirèrent en un large sourire qui découvrit des dents jaunes et irrégulières ; deux manquaient sur le devant.

— Hé ! Mais c'est fantastique, ça ! La grosse artiche ?

— Elle vous le dira elle-même, si ça lui chante.

— D'accord, d'accord. A votre aise. Vous lui annoncerez le nombre, elle le répétera à l'Ether, et hop ! En un millième de seconde, toute la tribu le saura. Communication subsonique instantanée. Parce que nous, on est branchés sur l'Onde Cosmique, mec, et ça bat le vieux système du téléphone, vous saisissez ?

— Si je saisissais, je serais aussi cinglé que vous, rétorquai-je.

Hélas ! pourquoi avait-il fallu que Terrence Mollingworth meure en me laissant le soin de retrouver ses nombreux et divers descendants ? Pourquoi n'avait-il pas légué tout son pognon à son caniche favori ?

— Bon, ça marche, vous êtes réglo. Suivez-moi.

Il se mit à dévaler la colline au trot léger, entre

les pins et les séquoïas qui s'entassaient vers le fond de la vallée. J'entamai la descente d'un pas rapide et réussis à suivre, vu que l'Indien n'était pas tellement costaud et qu'il ralentit considérablement l'allure au bout des cent premiers mètres. Ce qui prouve à quel point le retour aux sources peut être éprouvant.

Pour ma part, j'en étais sûr à présent : la Vie Naturelle ne me disait rien. Les trois ultimes kilomètres le long d'un sentier parallèle à l'autoroute où j'avais garé ma bagnole m'en avaient convaincu. Bientôt mes mollets protestèrent et je compris que je transpirais en descendant rapidement la pente, malgré l'ombre des épaisses branches. Soyons francs : j'avais passé mes années athlétiques au collège à me hisser jusqu'aux fenêtres du dortoir des filles, second étage, et depuis, je n'avais jamais pu me faire à l'idée du sport désintéressé.

Nous arrivâmes à une clairière, près d'une rivière. Deux tentes étaient plantées le long des arbres, une verte et une marron, toutes deux constellées d'innombrables fientes d'oiseaux blanches et noires.

Un peu à l'écart du centre et des arbres s'élevait une sorte d'appentis bricolé à l'aide de bûches de bois, d'écorce, de papier goudronné et de morceaux de cageots d'oranges. On aurait dit la tanière d'une bande de rats en mauvaise passe... Je vis de la lumière filtrer par quelques trous de la taille d'un crayon, dans l'une des tentes. L'appentis semblait à peu près aussi étanche qu'un seau percé, mais comme apparemment il servait de cuisine, seul le civet de lapin risquait la noyade.

Mon filiforme guerrier me conduisit jusqu'à l'entrée de la tente verte et fourra sa tête à l'intérieur.

— Psitt ! chuchota-t-il. C'est pas le moment de faire ça. Je veux vous présenter quelqu'un.

Une voix de fille qui paraissait parler la bouche pleine marmonna une réponse.

— Mais on est en plein milieu de l'après-midi ! répliqua le Brave. Et les travaux ménagers, alors ? Et le civet, nom de Dieu ?

Autres marmonnements.

— Non, je ne l'ai pas, ce putain de bois. Je rapporte un putain d'avocat à la place. Et si vous ne sortez pas de là immédiatement, je lui demande de vous foutre un putain de procès au cul !

De colère, le ton du Brave s'était élevé. Il ne hurlait pas, mais il ne chuchotait plus.

Bien, leur communication subsonique instantanée, très bien !

Quelques minutes plus tard, deux têtes émergèrent du rideau de la tente. Elles étaient toutes deux très belles, mais celle à la barbe m'attira moins que l'autre. Elle avait de courts cheveux bruns et des yeux clairs pailletés de vert émeraude. Des yeux merveilleux, humides, rêveurs. Son petit nez épaté lui donnait un air enjoué, de même que son sourire doux et fixe.

Le barbu se glissa hors de la tente et marcha

lentement autour de moi en m'observant d'un fantastique regard bleu pâle. Il fit environ six fois le tour de ma personne. Il semblait ne pas réellement me voir, mais sentir la présence de quelque chose, et être bien décidé à en découvrir la nature.

— Ne faites pas attention à J.-C., dit l'Indien, en souriant d'un air plein de tolérance à l'adresse de la silhouette solennelle qui me tournait autour. Il attire seulement les vibrations, pour voir si vous collez avec le karma du coin, vous saisissez ?

Je regardai ces yeux invraisemblabes dans ce beau visage à la peau remarquablement lisse, à la barbe auburn parfaitement taillée et aux cheveux châtain clair flottant jusqu'aux épaules, et je vis... du vide. Derrière ces yeux, un cerveau planait. Ailleurs. En-dehors même de l'univers. Jésus-Christ !

Je détournai les yeux de ce regard vide pour les reporter sur la fille. Elle était également sortie de la tente, à présent, et ma tête faillit éclater. Son jeans moulant, délavé et rapiécé, ne lui montait qu'à mi-hanches. La fermeture Eclair, à moitié ouverte, révélait un centimètre de douce toison brune. Elle avait un ventre plat, dur, un petit nombril, et des seins fermes dont les courbes remontaient légèrement, en dardant de pâles mamelons vers le ciel. Elle ne portait pas de chaussures. Ils marchaient tous pieds nus, d'ailleurs. Son corps était très hâlé, de partout, et sa bouche en forme de cœur me souriait.

— Je cherchais Sandra Stillwell, dis-je, mais vous ferez l'affaire jusqu'à son arrivée.

Je souris d'un air que j'espérais suggestivement pervers.

Elle me reluqua dubitativement, mais me retourna le sourire.

— Vous êtes mignon, mais vos cheveux sont trop courts. (Elle m'ausculta soigneusement de haut en bas.) Et d'un.

— Parce qu'il y a une suite ? demandai-je, surpris.

Elle hocha la tête.

— Vos vêtements sont trop chics. Et trop nets. Je parie que cet impeccable pantalon vert est sorti hier du nettoyage.

— Avant-hier, rétorquai-je agressivement.

— Et ce matin, dès le réveil, vous vous êtes rasé, brossé les dents, vous avez pris une douche, et vous avez ingurgité un petit déjeuner pantagruélique.

— J'ai compris, fis-je, pris d'une soudaine inspiration. Etant petite, vous vous êtes fait mordre par Jack Armstrong et depuis, vous avez toujours évité les sportifs américains.

— Et je suis sûre que vous avez même avalé des flocons d'avoine, me nargua-t-elle triomphalement.

Là, elle m'avait eu, mais pas question de l'admettre.

— Au moins, j'ai déjeuné ce matin, moi.

— Ai-je l'air sous-alimentée ? demanda-t-elle en haussant un sourcil noir.

Je dus reconnaître que non.

— D'accord, soupirai-je, je ne suis pas votre

genre. J'ai toujours préféré les rousses, de toute manière. A propos, où est Sandra ?

— Je n'ai pas dit que vous n'étiez pas mon genre, murmura-t-elle d'une voix rauque. Je vous trouve mal fagoté, c'est tout.

— Ce n'est pas l'emballage qui compte, c'est le cadeau.

Je décochai un sourire modeste et me tournai vers l'Indien.

— Où est Sandra ? répétai-je.

L'Indien haussa les épaules.

— Dans le coin. Elle, c'est Siège-Arrière. Je tenais à vous la présenter. Tout le monde va vouloir faire votre connaissance, monsieur l'Avocat.

— Randall Roberts. Ecoutez, je frémis de joie à l'idée de vous rencontrer tous. Moi aussi, bien sûr, je veux faire votre connaissance ; seulement pour le moment, j'aimerais surtout voir... (Je stoppai net mon discours et fis marche arrière.) Vous avez bien dit « Siège-Arrière » ?

La bouche en cœur sourit.

— Oui. C'est moi.

— Nous avons dit adieu au système et à nos anciens noms, monsieur l'Avocat, expliqua l'Indien. Nous ne sommes plus Tom, Dick ou Harriet. Nous sommes des membres de la Tribu et nos noms NOUS représentent.

— Et comment appelez-vous Sandra Stillwell ?

— Calvin.

— Calvin ?

— Oui.

— Calvin comment ?

— Calvin tout court.

Dingues. Ils étaient tous dingues. Et moi aussi, j'étais dingue de ne pas envoyer une lettre à Miss Sandra Stillwell, poste restante, Forestville, Californie. Et tant pis si elle ne venait jamais la chercher. Roberts, Roberts & Grimstead auraient fait de leur mieux pour retrouver l'héritière disparue. Et ça m'aurait évité l'occasion de découvrir le cadavre d'un camé, sans parler de l'orgie la plus fantastique... Bon, d'accord. Est-ce qu'une poignée de jeunes cinglés allait réellement me faire craquer ? Soupirs. Peut-être étais-je seulement fatigué. Peut-être pourrais-je tenir le coup. Peut-être la Cinquième Dimension existait-elle pour de bon et venais-je de trébucher dedans. Peut-être même serais-je entraîné dans une nouvelle orgie !

— Quelqu'un a vu Calvin ? hurla brusquement l'Indien à pleins poumons.

— Calvin. Caaaalviiiiiin ! crièrent ensemble mon guide et Siège-Arrière.

J.-C., occupé de son moi ténébreux, resta silencieux. Il fixait le ciel, comme s'il attendait que Calvin se matérialise soudain dans l'espace. En fait, il avait probablement autre chose en tête.

— Elle a dû partir pêcher. Nous sommes à court de bouffe, alors tout le monde est sûrement en expédition, dit aimablement Siège-Arrière. Mais qu'est-ce qu'un avocat peut bien vouloir à l'une de nous ? Vous n'avez rien à voir avec les flics, n'est-ce pas ?

Je secouai la tête.

— J'ai un message pour San... Calvin, c'est tout.

— Un cave de la famille de Calvin lui a laissé un tas de pognon en héritage, fit l'Indien tout excité. Qu'est-ce que tu dis de ça ?

— Vous avez de mauvaises vibrations, mec. On ne veut pas de vous ici.

C'était une nouvelle voix. Je me retournai pour reluquer le nouveau clown qui se joignait au spectacle.

Il était grand, un mètre quatre-vingt-cinq, et maigre. Ils étaient tous maigres. Il avait des cheveux bruns ondulés sur la nuque, mais pas longs, un visage émacié au menton pointu allongé d'une courte barbe, un nez busqué et des joues creuses. Il portait une longue robe noire aux manches style chauve-souris qui lui donnait un air vraiment étrange, comme les sorciers dans les pièces pour gosses. Mais l'impression changeait dès qu'on regardait ses yeux. Des yeux remarquables. Siège-Arrière avait des yeux passionnés, J.-C. des yeux transcendantaux, l'Indien des yeux supersoniques. Mais ce type possédait un regard noir, dur, un regard qui vous transperçait tout entier et qui vous dévorait sans jamais ciller. Ce type avait des yeux puissants.

Je le passai en revue, puis le fixai aussi.

— Qu'est-ce que c'est que cette histoire de vibrations ? fis-je. Qui êtes-vous, une bande de clavecins qui résonnez à travers le territoire ?

Ses yeux s'enflammèrent tandis que derrière lui,

de nouveaux participants au grand spectacle cosmique s'entassaient et écoutaient.

— Vous nous prenez pour une bande de cinglés, de hippies, de camés, de sales gosses, hein ? Vous ne vous sentez pas AVEC nous. Et si vous n'êtes pas avec nous, vous êtes contre nous. Exact ?

— Je vous prends pour une bande de gens assez curieux, admis-je. Mais je ne suis ni pour ni contre vous. Je cherche seulement quelqu'un.

— Vous n'avez rien à offrir à aucun de nous, répondit-il nettement d'une voix profonde, calme, confiante.

— Il voudrait voir Calvin, s'interposa Siège-Arrière d'une voix flûtée, un tantinet nerveuse à mon avis.

— Pourquoi ?

Ses yeux étaient toujours vrillés droit dans les miens.

— Pour lui donner de l'argent, beaucoup d'argent, fis-je d'un ton uni. Mais je vous promets que ça ne rompra pas la pureté spirituelle de votre petit groupe. Je ferai en sorte que de brusques richesses ne viennent pas perturber les vibrations, vous me suivez ?

Ses yeux ne cillèrent pas, mais je repérai un léger sourire sur ses lèvres. Il était si léger qu'il aurait presque fallu un détecteur de sourires pour le dépister.

— Qui êtes-vous, à propos, demandai-je.

— Je m'appelle Sauron, répondit-il aussi sec d'une voix prosaïque, comme s'il avait tout à fait oublié mes mauvaises vibrations. Laissez-moi faire les présentations.

Près de lui se trouvait une dénommée Bang Bang qui incarna illico à mes yeux une sorte de Miss Bigote, cent pour cent Américaine, propre, blanche, protestante et vierge. Elle avait des cheveux jaunes et brillants de la couleur des blés dorés au chaud soleil de l'Ouest et des yeux bleus de bébé, tellement innocents qu'on avait immédiatement envie de l'épouser, simplement pour la sauver de tout autre que soi-même. Lorsque Sauron me la présenta, il ajouta :

— Cette petite fille vous dévissera les couilles, l'Avocat, si vous ne les retenez pas de toutes vos forces. Elle ne s'est pas tapé un seul cave d'âge mûr, frémissant et affolé, depuis notre dernière descente en ville. Je vous aurai averti. Ne venez pas vous plaindre si vous ressortez d'ici en rampant à quatre pattes !

Tout le monde hurla de rire, sauf J.-C. qui contemplait toujours les nues.

— C'est pas des conneries, l'Avocat, insista Bang Bang.

Et je vis briller au plus profond de ces innocents yeux bleus une lueur on ne peut plus impie. Bang Bang, la pure, cent pour cent Américaine. La vraie nymphomane, oui. Bang Bang, au rond visage poupin, aux douces lèvres, aux seins pleins et gonflés. Bang Bang !

Le nom tribal de l'Indien s'avéra être Cerf Bondissant. Il y avait aussi une énorme femme largement bâtie et dotée d'une poitrine colossale. Elle dépassait tous les autres en taille et en poids. C'étaient les deux seuls à jouer le jeu du Peau-Rouge-lié-à-la-terre. En fait, chacun semblait tourner dans sa propre cage sans trop s'occuper des autres. A part Sauron. Tout le monde regardait Sauron ; il était clair qu'il détenait une grande influence sur le groupe.

Un jeune mec carré d'épaules, aux longs cheveux emmêlés et à la poitrine velue, répondait au nom de La Taupe. Il ne portait pas de lunettes, mais il en avait peut-être besoin. Pas tant que d'un bain, en tout cas, je le sentais même d'où je me trouvais. Il n'avait sans doute pas encore vu la rivière !

Je répondis aux présentations, mais je remarquai l'ironie contenue de leurs yeux lorsqu'ils me gratifiaient d'un « Heureux de vous connaître » ou autres sornettes du même goût. Quand un gros ponte bourré de pognon se pointe, faut bien le chambrer et voir ce qu'il a dans le coffre. C'est ce qu'ils pensaient tous. Sauf Bang Bang et Siège-Arrière. Leurs regards montraient clairement qu'elles avaient autre chose à l'esprit.

— Trouvez Calvin, lâcha négligemment Sauron, comme s'il ne s'agissait pas d'un ordre.

La Taupe se mit immédiatement en route, mais il n'était pas parti depuis deux minutes que Squaw Blanche annonça d'un ton bourru :

— Voici la maîtresse de Dieu qui arrive.

Sauron la transperça du regard et elle détourna la tête.

Une fille en robe transparente, au motif mystique marron et vert, traversait la clairière. On pouvait suivre le dessin mince et parfait de ses jambes à chacun de ses pas, la fermeté de ses cuisses, le balancement rythmé de ses larges hanches rondes et oscillantes, attachées à une taille étroite à vous en couper le souffle. Ses petits seins durs aux bouts sombres et pointus tendaient fortement le tissu fin et tressautaient à peine. J'étais tellement absorbé par la façon dont son corps se mouvait, que je m'arrêtai à peine au fait qu'elle ne portait rien sous sa robe.

C'était Sandra Stillwell, alias Calvin, et encore plus jolie que sur sa photo. Elle avait une épaisse chevelure auburn qui lui tombait à la taille et qui flottait derrière elle, et une peau blanche et veloutée agrémentée d'une piquante poignée de pâles taches de rousseur.

— Calvin, il y a un type ici qui prétend avoir du fric à te remettre, fit Sauron d'une voix nonchalante.

Calvin continua d'avancer vers nous sans mot dire, et ce fut seulement à cet instant que je remarquai le jeune homme décharné qui marchait derrière elle. Couvert de boutons et d'une barbe rabougrie, les joues en feu, il semblait très embarrassé.

Sauron lui lança un coup d'œil paillard.

— Je vous présente Okeefenokee, l'Avocat.

C'est plus un visiteur qu'un véritable membre de la Tribu, mais il restera peut-être. On n'a encore rien décidé à son sujet, parce que parfois, il ne suit pas précisément le courant. Comme maintenant, par exemple. Il vient d'essayer de s'envoyer Calvin, bien qu'il SACHE que les histoires physiques ne l'intéressent pas.

— Vous savez, vous aviez raison pour les mauvaises vibrations, dis-je. Je les ai senties aussi, et elles proviennent d'un emmerdeur qui prend son pied à remuer le couteau dans la plaie des autres. Exactement comme les flics qui prennent leur pied à interroger les petits futés qui se sapent comme vous.

Sauron darda ses yeux puissants dans les miens, et je sentis une ondulation m'entourer. L'atmosphère se tendit, et l'espace d'une minute, je me demandai si Sauron allait décider de me foncer dessus. Tout le monde se posait la même question.

— Vous prenez notre Tribu pour un jeu, hein, l'Avocat ? demanda-t-il d'une voix contenue et confiante.

— Celui qui fait les règles peut appeler ça comme il veut, non ?

— Vous faites aussi partie d'un jeu, mec. (Il me désigna du doigt et prit l'assemblée à témoin. Plusieurs membres hochèrent la tête.) Vous arrivez, fort, sage, sûr de vos paroles. Mais tout ce que vous connaissez, ce sont les règles de votre propre petit jeu particulier.

— Vous parlez pour ne rien dire, rétorquai-je

froidement. Vous n'êtes qu'un acteur, et je connais la pièce par cœur. Le théâtre d'amateurs m'a toujours emmerdé, de toute façon.

— Vous jouez sur les mots à chaque fois que vous causez. Un jeu de mots, pour me prouver que je ne sais rien et que vous savez tout. Mais vous ne connaissez que les limites de votre monde, mec, et c'est vraiment peu. Vous ne détenez aucun monopole sur la connaissance.

— Le Monopoly est le plus grand jeu que le Système ait jamais inventé ! gloussa La Taupe.

— Ouais ! s'exclamèrent-ils tous en chœur.

Sauron émit son sourire imperceptible, puis braqua brusquement son regard sur Calvin qui venait de prendre la parole.

— J'ignore pourquoi vous devriez me remettre de l'argent, fit-elle impérieusement, mais vous pouvez ramasser votre serviette. Je n'en veux pas.

Le regard de Sauron devint sec et dur, changement subtil car le sourire resta, mais je sentis le froid calcul auquel il se livrait.

— J'aimerais vous parler en tête-à-tête, dis-je d'un ton plein de patience à Calvin. Je pourrai ainsi vous expliquer la situation. Et si vous ne savez trop que faire de votre argent, je vous conseillerai.

— Vous pouvez tout expliquer ici, monsieur l'Avocat, répondit-elle calmement. Nous vivons en communauté, une Tribu, un esprit. Nous devons donc tous entendre ce que vous avez à dire.

Je regardai Sauron. Il ne souriait plus, il fixait

Calvin. Ne se sentant pas très à l'aise, il lui envoyait peut-être des messages...

Calvin ne paraissait rien remarquer. C'était moi qu'elle toisait, d'ailleurs, distante et supérieure, comme seule une révoltée de dix-neuf ans peut le faire.

Je n'y pouvais rien. Il faudrait que je parvienne à la voir seule, plus tard, et à lui parler. Pour l'instant, je pouvais seulement lui donner les détails et écouter ses réponses.

— L'argent vous a été légué par votre grand-oncle. Vous ne l'avez jamais vu et il ne vous connaissait que de nom, mais il a voulu qu'une partie de ses biens soit partagée entre ses plus jeunes parents éloignés. « Pour leur assurer un avenir plus brillant », selon ses propres termes. Votre part du capital, vingt mille dollars, sera administrée en fidéicommis pendant deux ans, bien sûr, jusqu'à votre majorité, mais on s'est arrangé pour que vous puissiez recevoir l'intérêt en acomptes mensuels. Qu'en dites-vous maintenant ?

— Ce que j'ai déjà dit. (Elle me reluqua avec un désintérêt total.) Je ne veux pas de cet argent. Je n'ai plus besoin d'aucun lien avec la société matérialiste. J'ai atteint un niveau plus élevé, ici, et j'ai brisé tout contact avec les valeurs spirituellement avilissantes d'un Système corrompu. L'argent ne ferait que gâcher ce que j'ai accompli.

Malgré ses yeux froids et hautains, j'étais sûr de trouver le moyen de la faire changer d'avis, à condition de l'éloigner de ses amis tribaux. Ce qui m'inquiétait le plus, c'est que Sauron réussirait probablement à l'influencer. Ce type possédait le genre de conscience spirituelle qui connaît le prix de la communion des âmes. Donc, ma première tâche consisterait à la faire changer d'avis au sujet de Sauron.

Tandis que je réfléchissais à la difficulté de changer l'opinion des gens au sujet des choses, et que je me demandais pourquoi, mon Dieu, il avait fallu que je choisisse de devenir un changeur d'opinions professionnel, tout le monde se retourna soudain pour regarder fixement la forêt avoisinante. A cet instant précis, une sorte d'homme des neiges crasseux, rugissant, dégingandé, chevelu, barbu, pieds nus et hagard, émergea des bois en psalmodiant comme un guru hindou devenu dingue :

— Les flics ! Les flics ! Les flics !...

CHAPITRE III

Il y eut une ruée générale. Plusieurs sauvages à demi nus se bousculèrent pour entrer dans les tentes, pendant que d'autres se précipitaient en direction des arbres.

— Cerf Bondissant ! La Taupe ! appela Sauron, calme comme l'eau d'un lac, d'une voix tranchante et assurée. Prenez l'herbe. Versez les deux sacs dans la rivière.

— Oh ! merde, mec, ça me débecte de perdre ça, gémit Cerf Bondissant.

— Il le faut, il le faut, marmonna La Taupe. Sinon on se fait coffrer.

Ils ressortirent des tentes portant chacun un sac en plastique pour tabac à cigarette, et coururent à la rivière. Une fois arrivés, ils se penchèrent sur la berge et secouèrent le contenu des sacs dans l'eau. La Taupe applaudit bruyamment et se mit à glousser. Cerf Bondissant prit un air lugubre.

— Allons, mec, fit La Taupe en le poussant du coude. C'est spirituel, ça. Symbolique ! Le sacrifice rituel. On replace l'illumination spirituelle dans le cycle pour que le cycle reproduise...

— Putain, c'est cinquante dollars d'herbe foutus en l'air, ouais ! pleurnicha Cerf Bondissant. Tu peux pas arrêter tes conneries ?

La Taupe rit comme un dément et entreprit de déchirer les sacs en morceaux minuscules qu'il jeta ensuite religieusement dans la rivière, tels des pétales de roses.

Sauron s'était seulement avancé de quelques mètres vers le centre de la clairière. Il restait à guetter les arbres, l'oreille tendue.

L'énorme tête de Squaw Blanche émergea de l'une des tentes.

— On a tout dégagé, ici, Sauron, cria-t-elle. Ils peuvent venir !

Puis elle sortit calmement et se planta près de Sauron, les bras croisés à l'indienne, l'air provocant.

Bang Bang jaillit hors de l'autre tente et marcha vers Sauron. Elle lui posa une main sur le bras, mais il ne se retourna pas, tout occupé à fixer la forêt comme une antenne de radio qui capte des signaux. Et il y avait des tas de signaux. Partout, le reste de la Tribu caquetait, criait « Coucou ! On est là, la flicaille ! Ici, p'tits flics, p'tits flics, p'tits flics ! ». Ils hurlaient, ils s'emballaient comme une bande de fous complètement camés à... Et soudain, la lumière se fit dans ma tête. A l'acide ! Ces regards ! Au moins la moitié d'entre eux, sinon la totalité, étaient dopés, défoncés jusqu'aux yeux au L.S.D. !

— Allez, allez, dégagez. Vous êtes cinglés ou

quoi ? gronda le sergent de police qui venait d'émerger des bois près de la rivière et qui poussait un La Taupe gloussant vers les autres, alignés au centre de la clairière. La plupart se tordaient de rire et les six policiers plus le sergent avaient toutes les peines du monde à les faire seulement tenir debout.

— Hé les mecs ! On devrait tous aimer les flics ! ricana sarcastiquement Golem. (C'était, comme je l'avais découvert grâce aux interjections hurlées dans la panique, le nom du sauvage qui avait annoncé la rafle.) Concentrons-nous là-dessus tout de suite. Une pure, une grande, une complète vague d'amour pour les flics !

Tout le monde vociféra son enthousiasme, à part Sauron, planté au milieu du groupe, qui transperçait les flics du regard, serein et supérieur.

— Allons-y ! les encouragea Golem.

Ils réussirent à retrouver leur sérieux, même La Taupe, et contemplèrent les flics d'un air béat. Les yeux se fondaient dans une extase suprême, des sourires de madone fleurissaient, l'émotion montait, montait...

— Bande de petits merdeux dégénérés ! Camés ! cracha le sergent en tordant ses lèvres épaisses avec dégoût. Je vous arrête tous pour détention.

— Détention de quoi, pour l'amour de Dieu ? glapit Cerf Bondissant.

Le sergent fit signe à l'un des flics qui s'avança vers lui.

— Qu'as-tu déniché dans cette tente, Mike ? demanda le sergent.

Le flic tendit une enveloppe blanche.

— On dirait de la marijuana, sergent, répondit-il.

Il glissa un œil vers les hippies et sourit.

— Vous n'avez pas trouvé ça dans la tente, fis-je.

— Quel est celui qui vient de dire ça ?

Le flic me reluqua comme si je venais de lui mordre une fesse.

— Randall Roberts, annonçai-je avec un calme tout professionnel. Je suis avocat à San Francisco, et je représente cette jeune fille. Là-bas. Miss Stillwell.

Le flic et le sergent m'étudiaient avec vif intérêt à présent, détaillaient mon pantalon de gabardine, ma liquette blanche tachée de sueur, avec ma cravate rouge fourrée dans la poche.

— Et où prétendez-vous que le policier ait trouvé ça, alors ? fit le sergent d'une voix basse, en tapotant l'enveloppe.

— Dans sa poche, répondis-je avec franchise.

— Aimons les flics, entonna Golem.

— Ouais ! grommela Cerf Bondissant. Etouffons ces porcs d'amour. Foudroyons-les d'un super éclair d'amour !

Personne ne leur prêta attention. Tous les flics avaient les yeux braqués sur moi.

Le sergent, un grand homme lourd et massif, souriait. Ses traits, nez, bouche, menton, front, me paraissaient exagérés. Du grès ciselé, frappé par le vent, malmené, corrodé, mais toujours dur comme du roc.

— Je vais oublier ce que vous venez de dire, fit-il calmement. Je vous accorde cette erreur.

— Vous pouvez oublier ce que vous voudrez. Mais je le répéterai. Au tribunal.

— Il se peut que je me voie obligé de vous inclure dans cette petite rafle, monsieur Roberts, lâcha-t-il d'une voix traînante et franchement amicale, bien qu'il eût cessé de sourire. Vous étiez présent quand nous avons découvert l'enveloppe, n'est-ce pas ? Alors, qu'est-ce qui me dit que vous ne faites pas partie du groupe ? Vous êtes peut-être même celui qui leur fournit la marchandise.

— Et vous êtes peut-être un malheureux flic qui pourrait être fort embarrassé au moment de le prouver, rétorquai-je tranquillement.

Il n'apprécia pas, mais il encaissa. Il m'observa attentivement et je vis, à sa façon de me jauger, d'estimer ses chances et de décider de la meilleure voie à suivre, le tout en dix secondes, qu'il était astucieux. Lorsqu'il eut pris sa décision, il ravala docilement sa fierté et me sourit.

— On va coffrer ces merdeux pour vagabondage, Mike annonça-t-il doucement. Embarquons-les.

J'avais marqué le point. Parfait. Il s'en balançait. Il accomplissait son boulot et il reviendrait à la charge, après mon retour à San Francisco. Je devinais comment son esprit travaillait : logiquement, pratiquement. C'était ce que certaines personnes pourraient appeler un flic par vocation.

Mike avait l'air contrarié, mais lui et les autres flics encerclèrent les hippies, les poussèrent avec leurs matraques, et on se mit tous en marche vers l'autoroute.

Sauron se retourna et me regarda. Je devais lui paraître un peu dangereux, à présent. Il ne tenait pas à ce que je devienne un héros et que je sape sa suprématie. Il ne tenait surtout pas à ce que je me mette à influencer la vie de Miss Calvin Sandra Stillwell.

Qu'il aille au diable.

— Mon nom est Brown, sergent Jim Brown, fit le gros flic derrière mon épaule.

— Vous connaissez déjà le mien, répondis-je sèchement.

— Je suis navré pour ce malentendu, monsieur Roberts, nasilla le sergent en m'emboîtant le pas, alors que nous avancions derrière le groupe de flics et les hippies qui se débattaient entre les arbres gigantesques. Je regrette sincèrement ce qui s'est passé, mais vous ne comprenez pas le problème. Bien sûr, nous n'avons pas trouvé de drogue aujourd'hui. Mais vous ne croyez pas qu'ils l'ont planquée quelque part ? Ils nous ont vu venir, ils ont eu tout le temps de se débarrasser de la marchandise. Et ils en ont probablement un plus gros stock dissimulé cinq cents mètres plus haut, sur la colline. On ne retrouvera jamais la came, mais on sait qu'ils la détiennent. Alors on ne fait qu'observer la loi. Ce n'est pas votre avis ?

— Vous n'avez pas trouvé de marijuana, et la loi dit que vous devez la trouver. La loi dit aussi qu'un flic qui utilise une fausse preuve est passible de révocation.

Je le fixai franchement, sans menace dans mon regard. Se mettre les flics à dos, ça n'arrange jamais les affaires d'un avocat.

— Désolé que vous preniez les choses comme ça, monsieur Roberts. (Il secoua la tête et nous marchâmes en silence pendant deux ou trois cents mètres.) Je vais vous apprendre quelque chose que vous ignorez à propos de ces crapules, reprit-il. Ils sont dix dans le groupe. Hier, ils étaient onze. Vous savez ce qui est arrivé au onzième ?

— Vous l'avez pincé les poches pleines de photos pornos et vous lui avez coupé les couilles ?

— Ne m'insultez pas trop souvent, monsieur Roberts, dit-il du même ton lent et cordial. Jusque-là, vous vous en êtes tiré, mais un flic a des moyens de se protéger, même contre des avocats astucieux.

— D'accord. N'essayez plus d'organiser de coup monté contre un de mes clients et nous serons copains.

Il hocha la tête.

— Je ne manquerai pas de leur demander d'abord s'ils sont vos clients. (Il y avait une acuité dans sa remarque, comme une lame de rasoir qui frôle l'épiderme...) Mais reprenons. Hier soir, un de ces clodos est mort. Dose mortelle de drogue. Héroïne. On l'a trouvé dans une ruelle, il a dû calancher au cours d'une de leurs « fêtes », et les autres ont tellement paniqué qu'ils ont déposé le corps dehors.

— Très triste, répondis-je en carburant à toute allure. A quoi ressemblait ce type ?

Le sergent haussa les épaules.

— Un rouquin émacié. Pourquoi ? Vous le connaissez ?

Je secouai la tête. Il ne pouvait s'agir que de Fraise-à-Cheval. Ainsi Harry-le-Singe avait balancé le cadavre au lieu d'appeler les flics !

— Vous pensez qu'il était avec ce groupe ?

— Non, ceux-là ne sont pas allés en ville hier soir. Le mort était seul, probablement en train de se piquer avec d'autres camés, ou bien de prendre une livraison.

— Alors pourquoi cette rafle ? demandai-je. Ils ne faisaient de mal à personne à fumer de l'herbe dans la forêt.

— Pas seulement de la marijuana, rétorqua-t-il sèchement. Ils sont bourrés de L.S.D. en ce moment même. (Il me regarda.) Je ne suis pas borné au point de ne pas reconnaître la différence. Et comment pouvez-vous savoir qu'ils ne planquent pas de drogues vaches sous un rocher quelconque ?

Je n'en savais rien, en effet, mais je ne pensais toujours pas qu'on pouvait harceler et arrêter des gens sous le simple prétexte qu'ils étaient peut-être drogués.

— L'intoxication est une maladie, pas un crime, dis-je.

Il se tourna furieusement vers moi.

— Pour moi, c'est un crime, monsieur. Et mon boulot, c'est de les boucler, de protéger la population, et eux-mêmes, en les éloignant de la drogue. C'est le seul moyen. L'attitude douce et compréhensive ne fera qu'encourager d'autres jeunes à faire comme eux.

— Admettons. Vous pouvez en effrayer certains. Et ceux qui n'ont pas peur ?

Il sourit.

— Il faut s'en débarrasser. Regardez ce qui se passe. La moitié de ces maudits gamins ingurgitent des pilules et fument la marijuana. C'est un vrai cancer qui dévore notre pays.

Je plantai mon regard dans ses yeux gris clair, fanatiquement voilés.

— Cela dit, si vous laissiez sortir ma cliente ? Vous n'avez aucune charge contre elle, elle a de l'argent, et je peux obtenir sa libération en deux heures.

— Vous ne m'avez pas écouté, monsieur Roberts. Je vais coffrer ces morveux, et je continuerai à les coffrer jusqu'à ce qu'ils restent en taule pour de bon, ou qu'ils quittent le pays. Si je ne peux la retenir que deux heures cette fois, tant pis. Mais je vous conseille de la tenir à l'écart des hippies et de la drogue, sinon, je vous jure qu'il y aura une prochaine fois.

— Très bien, nous ferons comme vous voudrez,

mais à votre place, je ne persisterais pas à attaquer si violemment. Même les flics les plus tenaces peuvent être contre-attaqués.

— Par qui ? ricana-t-il. Des avocats libéraux aux idées larges ? Ne me faites pas rire. Ce pays croit à l'ordre et à la loi et à la fin, c'est vers la police que tout le monde se tournera pour sauver l'Amérique.

Bon. Les flics étaient donc les héros de la scène. Autant abandonner. Je n'arriverais jamais à changer sa conception de la vie.

— Permettez-moi au moins de conduire ma cliente au commissariat dans ma voiture. Je dois lui parler en tête à tête. Vous me devez bien ça ?

Me rendre des services, ça lui répugnait, mais il accepta.

— Roulez à notre allure. Je tiens à ce qu'elle arrive en même temps que nous.

Lorsque nous atteignîmes l'autoroute, les flics et les hippies s'entassèrent dans trois paniers à salade, et j'entrai dans mon Austin Healey accompagné de l'héritière forcée. Je tendis le bras pour prendre mon manteau sur le siège arrière.

— Tenez, enfilez ça.

— Vous êtes fou ? (Elle se secoua pour l'ôter de ses épaules, ce qui réussit à peine à faire vibrer d'un soupçon ses petits seins fermes.) On est en plein milieu de l'après-midi. Je crève de chaud.

— D'accord, mais quand nous arriverons en ville, mettez-le, ou vous serez aussi inculpée d'attentat à la pudeur.

Elle haussa les sourcils, comme si l'idée que des imbéciles pouvaient se soucier de sous-vêtements l'ahurissait, puis elle tourna la tête pour contempler la pente verdoyante qui s'effritait et tombait, plus bas, dans une mer jonchée de rochers.

Je mis en marche mon symbole de puissance favori et j'écoutai un moment le vrombissement régulier et nerveux de tous ces chevaux impatients de bondir. J'embrayai sèchement, accélérai et dépassai les flics. Nous roulâmes devant eux tout du long.

— Sandra, il faut que nous parlions de votre héritage, dis-je, tandis que nous foncions sur la route en corniche, au-dessus des falaises. Vous ne pouvez pas tout simplement le refuser. Il est là. Vous le possédez déjà. Vous pouvez le donner, mais vous ne pouvez pas le laisser choir.

— Alors je le donnerai.

— A qui ?

Elle haussa les épaules.

— Ça n'a pas d'importance. (Ses yeux quittèrent la vitre pour se poser sur mes mains qui guidaient le volant à un cent vingt à l'heure constant. Derrière nous, les sirènes hurlaient.) Et je m'appelle Calvin. C'est le nom que m'a donné la Tribu, c'est mon seul nom maintenant. Cessez de m'appeler Sandra, s'il vous plaît.

— Très bien. Seulement c'est un peu dur d'appeler une jeune beauté rousse du nom de Calvin.

D'où sortent tous ces noms dingues, d'ailleurs ? Pourquoi Calvin, pour l'amour de Dieu ?

— Votre langage est irréfléchi, mais vous avez exprimé l'idée, répondit-elle énigmatiquement.

— C'était involontaire. Pourquoi Calvin ?

— Pour l'amour de Dieu, comme vous avez dit. J'ai toujours été profondément religieuse.

Ses yeux bleus reflétaient un calme serein qui me perturbait quelque peu. Comment pouvait-on être aussi cinglé et l'ignorer ?

— Comme Calvin Coolidge, vous voulez dire ?

Elle faillit rire. Le son ne sortit pas, mais ses lèvres s'écartèrent suffisamment pour que je voie des dents blanches régulières, et une petite langue rose capable, à mon avis, de susciter au moins une certaine sorte d'expérience religieuse.

— Calvin comme Calvin, fit-elle. Vous savez, ce chef protestant qui a fondé le Calvinisme.

— Vous êtes fondamentaliste ? crissai-je.

— Non, simplement chrétienne. Mais j'étais très sérieuse sur ce chapitre. Je le suis toujours ; seulement maintenant, j'ai compris que la chrétienté n'est qu'une manifestation subjective de la spiritualité de l'univers. La religion devrait être une expérience, pas un endoctrinement. J'ai été endoctrinée par mes parents, par l'Eglise, par mes lectures. Mais aujourd'hui, je suis libérée du dogme. J'ai pénétré dans le corps de la vraie religion : l'âme cosmique. Chaque religion formelle n'est qu'une expression rationalisée de l'Esprit universel. Vous comprenez ?

— Un tout petit peu, dis-je d'un ton conciliant.

— Voilà où j'en suis. Pour le moment, en tout cas.

Il me parut inopportun de lui poser davantage de questions sur la religion. Je craignais que nous ne partions tournoyer dans le cosmos sans jamais pouvoir redescendre. Je décidai aussi de cesser d'essayer de la raisonner au sujet de l'argent. Je pourrais peut-être contacter ses parents et leur demander d'intervenir, bien qu'ils ne m'aient pas été d'un grand secours jusqu'à présent. Ils m'avaient indiqué l'endroit où la trouver, en soulignant qu'ils ne voulaient rien avoir à faire dans cette histoire et que je devrais me débrouiller seul, vu qu'elle était, d'après eux, une affreuse pécheresse.

— Et les autres ? fis-je, cherchant un terrain prudent.

— Vous voulez parler de leurs noms ?

— Oui.

— Eh bien, La Taupe, c'est parce qu'il est toujours crasseux, comme les taupes qui vivent dans la boue, vous savez ?

— Je n'en ai jamais connu personnellement, mais je saisis votre allusion.

— Cerf Bondissant et Squaw Blanche, parce qu'ils ont opté pour la vie à l'Indienne. Bang Bang...

— J'imagine parfaitement, coupai-je, compatissant.

Elle hocha la tête.

— Pauvre Bang Bang. Elle n'arrive pas à comprendre que les contacts physiques sur un niveau non-spirituel peuvent détruire l'âme.

— Parce que pour vous, faire l'amour par plaisir, c'est exclu ? marmonnai-je.

— Monsieur Roberts, vous n'avez pas eu d'idées comme ça à mon égard ? demanda-t-elle, ses yeux bleus grands ouverts d'incrédulité.

— Vous plaisantez ! Moi qui suis pour la virginité jusqu'au mariage...

Elle n'eut pas l'air convaincue.

— Le mariage n'a rien à voir là-dedans. Il faut être en accord spirituel, c'est tout. Mais il n'y a peut-être qu'une personne au monde avec laquelle vous pouvez atteindre ce niveau, et vous risquez de ne jamais la rencontrer.

Je ne voulais pas poursuivre ce sujet et ajouter d'autres mensonges à ma liste de péchés.

— Et Siège-Arrière ?

— C'est une organisatrice. C'est elle qui fait toute la cuisine et le ménage dans le camp. On l'a appelée Siège-Arrière par référence à ces personnes qui dirigent toujours le conducteur d'une voiture derrière son dos, vous savez ?

— Son côté ménagère ne m'a pas précisément frappé.

— Oh ! elle n'est pas du tout comme ça. Elle aime simplement voir les choses en ordre. Mais dans sa vie privée, elle est presque aussi détraquée que Bang Bang.

— Sexuellement, vous voulez dire ?

— C'est ça.

— Et Fraise-à-Cheval ?

— Vous le connaissez ? fit-elle, surprise. Il n'est pas rentré au camp, hier soir. Dernièrement, il ne marchait plus du tout avec nous, sur le plan spirituel.

Elle fronça les sourcils et me lança un coup d'œil incertain.

— C'est pourtant le seul plan sur lequel il puisse vous rejoindre, maintenant.

— Comment ça ?

— Il est mort. On l'a retrouvé dans une ruelle en ville, hier soir.

— Oh ! non. De quoi est-il mort ?

— D'une dose trop forte d'héroïne, apparemment.

Ses adorables yeux verts s'assombrirent et elle fixa ses genoux pendant quelques minutes, comme pour communiquer avec l'esprit du jeune mort. Elle releva finalement la tête vers moi.

— C'est mieux ainsi, dit-elle. Il n'avait aucun avenir possible.

C'était le genre de philosophie qu'un adolescent trouve profond. En fait, il signifiait seulement qu'elle ne savait pas comment réagir au choc qu'elle venait de recevoir.

— Pourquoi l'appelait-on Fraise-à-Cheval ? m'enquis-je.

Elle soupira, comme si l'effort de discuter de

choses banales lui pesait, puis elle reprit sa voix normale.

— Parce qu'il avait les cheveux roux, plus vifs que les miens, et parce qu'il s'injectait du cheval. Au début, on l'appelait seulement La Fraise.

— Parlez-moi de Sauron, suggérai-je suavement. C'est lui qui semble diriger votre groupe. Pourquoi ?

— Oh ! simplement parce que c'est comme ça. Ça lui plaît. Il vit sur un très haut niveau spirituel, comme son nom l'indique. Il l'a trouvé dans un livre intitulé « Le seigneur des Anneaux », et il l'a choisi lui-même. Dans le bouquin, Sauron est un personnage malfaisant, mais il a dit que ça n'avait pas d'importance, parce que le bien et le mal sont interchangeables. Nous séparons les actes en deux catégories à cause de nos préjugés moraux, mais en réalité, chaque acte fait partie intégrante du courant spirituel cosmique. Le bien et le mal n'existent pas. Vous comprenez ? acheva-t-elle en me regardant avidement.

Je comprenais très bien, mais qui étais-je pour me permettre de la désillusionner ?

— Golem est aussi un personnage du même livre, je parie ?

— Oui. Sauron l'a choisi parce que Golem et lui sont dans la même histoire, bien que Golem soit moins élevé spirituellement.

— Sauron est le chef et Golem son lieutenant, en somme ?

— C'est ce qu'on dirait peut-être en langage rétrograde, mais...

— C'est ce qu'on dirait en n'importe quel langage, coupai-je. En tout cas, merci de m'avoir renseigné sur votre étrange équipe. Je ne vous force pas à m'expliquer pourquoi Jésus-Christ a écopé de son blase.

— C'est drôle, vous savez, mais il s'appelle vraiment Jésus-Christopher.

— C'est son vrai nom ?

— Oui, mais ça lui va bien, alors on le lui a laissé. Il ne parle pas. Parfois, il nous écrit des messages, mais je ne l'ai jamais entendu prononcer un mot. Je finis par me demander s'il n'est pas muet.

Quelle macédoine de cinglés, songeai-je, ahuri. Et comment allais-je extirper une jeune vierge rouquine, assoiffée de spirituel, de ce bourbier ? Devant un tel problème, tout homme normal aurait fui sur-le-champ, mais je refusais définitivement de permettre à Sauron de siphonner la moindre parcelle de la galette. Pour moi, pas l'ombre d'un doute : ce type connaissait la différence entre le bien et le mal. Et il avait décidément choisi le mal.

CHAPITRE IV

Quand j'annonçai à Calvin que je pouvais obtenir sa libération en quelques heures, elle se contenta de me regarder de ses grands yeux fixes et spiritualisés.

— Je ne veux pas sortir.

— Comment ? hurlai-je. Vous êtes masochiste ou quoi ? Vous refusez vingt mille dollars et vous refusez de sortir de taule ! Si vous y tenez, je vous fais condamner pour meurtre, comme ça vous pourrez réellement souffrir.

— Je ne veux pas sortir si les autres restent bouclés, expliqua-t-elle patiemment.

Je hochai faiblement la tête.

— Bon. Je verrai ce que je peux faire.

Un policier arriva et fit sortir Calvin de la petite pièce nue où nous avions discuté. Je me rendis au bureau et demandai au flic de service si je pouvais parler au chef. Le personnel n'était pas très affairé au commissariat de Forestville, mais même les flics doivent soigner les apparences. Au bout d'une heure et demie, le chef me reçut et finit par reconnaître, après une autre heure, que j'avais parfaitement raison, qu'on ne retenait aucune charge contre le groupe si je pouvais prouver qu'ils avaient de l'argent, et je le pouvais, et que dans ces conditions, bien sûr, il coopérerait et les laisserait sortir dans quelques heures.

— Dans quelques heures ? lançai-je d'une voix cassante. Pourquoi pas tout de suite ?

— Pour leur donner le temps de se calmer et pour leur enseigner le respect de la loi. Pour les inquiéter un peu aussi au sujet de la drogue qu'ils utilisent, répliqua le chef de la même voix cassante.

Le chef me confia ses craintes à propos de la drogue qui envahissait son canton, et tous ces jeunes, là-haut, dans les collines, qui se brûlaient le cerveau à coups de cette pourriture. Dans quelques heures, il les relâcherait, avec un avertissement. Ferais-je mon possible, me demanda-t-il, pour m'assurer qu'ils le prennent au sérieux ? Et comment, chef !

Nous nous serrâmes la main sur ces bonnes paroles. Je sortis, m'arrêtai sur les marches du commissariat et scrutai la rangée de boutiques baroques style Vieille-Angleterre qui longeaient la rue principale, en me maudissant d'avoir décidé d'arrêter de fumer. Puis je me souvins qu'au moins, je n'avais pas abandonné l'alcool. Il y avait peut-être un pub baroque style Vieille-Angleterre dans le coin ? Sinon, je me contenterais d'un vulgaire bon vieux bar américain.

Tandis que je tournais les yeux en tous sens

dans l'espoir d'apercevoir une enseigne entre les branches feuillues des chênes, le long du trottoir, une Lincoln Continental déboucha, tous freins crissants, et se gara dans une zone interdite devant le commissariat.

Un type sortit et fonça vers moi en grimpant les marches quatre à quatre, suivi d'une grande femme mince d'environ quarante ans, bien habillée et l'air contrarié. Le type portait un costume sombre ; un triangle de pochette dépassait de sa poche-poitrine gauche. Plus une chemise amidonnée ultra-blanche et une cravate classique de pure soie luxueuse marron foncé.

— C'est ici qu'ils ont enfermé les gosses ? Vous êtes un parent aussi ?

Il haletait sur la marche, à côté de moi, prêt à se précipiter dans le bâtiment.

— Tout va bien, dis-je. Ils ne vont pas rester au bloc.

— Pourquoi ? Que s'est-il passé ?

Il me fixait d'une paire d'yeux exorbités aux paupières tombantes.

La femme monta l'escalier et s'arrêta près de lui. Son visage était fin, lisse, séduisant. Elle portait une fourrure autour du cou, qui lui tombait à la taille d'un côté, et une élégante robe du soir bleu marine qui lui arrivait aux mollets. La peau ferme et tendue de ses joues et de son menton, son cou lisse et droit et ses seins joliment galbés devaient beaucoup à un régime sévère, une bonne gymnastique, et un bichonnage assidu. Son mari trépignait, menaçant, mais elle semblait seulement anxieuse.

— La police a accepté de les relâcher tous dans quelques heures, leur annonçai-je. Il n'y a rien d'autre à faire qu'attendre.

— Qui êtes-vous ? demanda brusquement la femme.

— Randall Roberts, avocat. Ma cliente est à l'intérieur.

Le type hocha la tête.

— Je me présente : Cecil Holloway. Et voici ma femme, Rhoda. La police nous a dit que notre fils avait été ramassé pour vagabondage. Vous vous rendez compte ! Alors moi, je leur ai rétorqué aussi sec que leur prétexte ne marcherait pas. Notre fils traverse une mauvaise passe, c'est tout ; rébellion juvénile, quoi, mais ce n'est pas une raison pour le coller en prison comme un vulgaire clochard sans famille !

— Etes-vous certain que tout est arrangé ? s'enquit Rhoda Holloway, les yeux luisant d'inquiétude. Nous ne pouvons vraiment rien faire ?

Je haussai les épaules.

— Vous pouvez toujours entrer, marteler le bureau et les menacer de votre portefeuille, mais à moins que vous soyez en bons termes avec le chef, il n'y a aucun moyen de faire sortir votre fils plus rapidement.

— Le chef est un vieil emmerdeur qui pense que tout le monde devrait être couché à dix heures et demie, ricana Holloway. Nos noms ne figurent pas exactement au même registre social.

Mme Holloway me sourit faiblement.

— Ils sont un peu en froid, depuis que Cecil a essayé de faire sauter une de ses contredanses, il y a trois mois.

Cecil s'assombrit.

— Enfin, laissons courir, si vous êtes sûr qu'il sera relâché. Dites, mon fils n'aura pas de casier judiciaire, au moins ?

— Non, ils ne sont pas inculpés, assurai-je. A propos, comment s'appelle votre fils ?

— Charles.

— Ça ne m'aide pas beaucoup. Ils n'utilisent pas leur véritable nom. Ça doit faire partie de leur rébellion juvénile, je suppose.

Cecil renifla et me regarda de travers.

— Ouais, je sais. Charles m'a dit qu'il détestait son nom. Il a pris le nom stupide d'un personnage de conte de fées... un truc ridicule dont je n'arrive pas à me souvenir.

— Golem, fit sa mère.

Je l'observai attentivement et remarquai, dans la contraction de sa mâchoire et la lueur de ses yeux, une fierté coléreuse et maternelle. Je trouvais qu'ils en rajoutaient un peu, tous les deux, dans la scène des parents compréhensifs. Je n'avais pas examiné soigneusement Golem dans la panique de la rafle, mais de toute évidence, il avait plus de vingt et un ans. Lui et Sauron étaient les plus âgés du groupe. Je leur donnais environ vingt-quatre ans. Le rejet du style de vie des parents me paraissait donc plus sérieux qu'une révolte juvénile.

— Ecoutez, puisqu'on n'a rien à faire ici, pourquoi ne viendriez-vous pas prendre un verre chez nous, monsieur Roberts ? claironna chaleureusement Holloway, laissant soudain choir le rôle du père inquiet pour reprendre celui, plus naturel, du bon vieux Cecil.

— Pourquoi pas ? répondis-je machinalement. (Après tout, c'était mon intention, de toute façon.) Attendez ici, j'envoie un message à ma cliente et je vous rejoins tout de suite.

Mme Holloway me lança un regard dubitatif et poussa son mari du coude.

— Cecil, je crois que tu ferais bien d'envoyer un mot à Charles. Dis-lui de nous téléphoner dès qu'il sera relâché. Immédiatement. (Elle soupira et parut presque s'excuser.) Je resterais bien à l'attendre, mais ça ne lui plairait pas.

Cecil et moi entrâmes dans le commissariat. Je remis une note pour Sandra Stillwell au policier du bureau, lui confirmant qu'elle serait relâchée et lui demandant de me téléphoner à mon hôtel à sa sortie. Je lui donnai le numéro et l'adresse.

Holloway tendit son message et nous sortîmes retrouver sa femme. Je sautai sur le siège arrière de la Lincoln et étendis mes jambes. Autant se relaxer. Demain, ou après-demain, je replongerais dans la lutte pour le bifteck chez Roberts,

Roberts & Grimstead. Alors pourquoi ne pas m'envoyer quelques verres, discuter de choses banales et, pour briser la routine habituelle, me coucher tôt ?

La pensée semblait réconfortante, sur le coup. Mais j'avais temporairement oublié les mauvaises vibrations qui flottaient dans l'air.

La résidence des Holloway était longue et basse, construite sur deux niveaux. La partie la moins élevée était nichée dans un jardin et entourée de pins et d'eucalyptus, tandis que l'autre s'étalait au sommet d'une petite côte. De la porte d'entrée, on distinguait les taches bleu marine du Pacifique, entre les arbres. La porte donnait directement sur le living-room. Un jeune homme, en train de lire un livre, était assis dans un siège arrondi. Il bondit sur ses pieds à notre arrivée.

— Je vous présente mon fils aîné, Richard, fit Cecil d'un ton exubérant en assénant une claque sur l'épaule du rejeton.

Je serrai la main de Richard, qui avait environ dix-huit ans, et j'acceptai l'invitation à m'asseoir d'Holloway. Le mobilier, tout en plastique orange et blanc, était très moderne, très beau, mais dur aux fesses. La pièce entière semblait davantage faite pour être admirée qu'habitée.

Holloway prépara des verres pour tout le monde, y compris pour Richard, et nous les servit. Lorsqu'il tendit le gin-tonic à son fils, il lui décocha un gros clin d'œil.

Le jeune homme arbora un visage d'acier, se

retourna et se posa rigidement sur un siège, du côté de la pièce opposé au mien. Il avait des cheveux bruns, à peu près de la teinte de la mince couronne qui encerclait à moitié le crâne dégarni de son père. Il portait un costume-cravate net et bien repassé, mais il y avait quelque chose en lui qui ne me plaisait pas. Il émettait de mauvaises vibrations.

Holloway senior me décocha un sourire épanoui et vint s'installer sur le siège à côté de moi. Je lui donnais environ cinquante ans. C'était le parfait exemple des dégâts que peuvent produire l'âge et l'argent sur un corps fondamentalement fort et sain. Ce qui ne ployait pas sous les effets du temps se dilatait sous la pression de l'abondance. Sa femme s'assit sur le canapé de plastique orange, entre son mari et son fils.

— Eh bien... soupira Holloway... C'est la vie, hein ? (Nouveau sourire rayonnant.) Mais je tiens à ce que vous sachiez que tous nos enfants ne nous causent pas autant de soucis, monsieur Roberts. Non, non, non. Richard, ici présent, fait la fierté de sa famille. Il vient de terminer sa première année d'université, à Berkeley. Il a très bien travaillé, mais, comme je le lui ai dit, il devra faire mieux encore s'il veut concourir.

Je hochai la tête, pas vraiment intéressé.

— C'est l'attitude qui compte, dis-je automatiquement.

— Exactement ! s'exclama Holloway. Et c'est précisément ce qui me dégoûte chez tous ces jeunes drogués, y compris mon fils, j'ai le regret de le dire. Ils pensent que tous les profits de la société sont étalés devant eux, comme des friandises à une fête d'anniversaire, et qu'ils n'ont qu'à se servir.

— J'aimerais que tu parles d'autre chose que de la drogue, ce que tu fais sans arrêt, se plaignit Mme Holloway d'un ton irrité. Ça me tracasse tellement.

— Mais c'est un fait, Rhoda, répondit impatiemment son mari. Grâce à Dieu, cette folie ne s'est emparée que d'un de nos fils. Croyez-moi, Roberts, c'est une véritable épidémie, par ici. Les trois quarts du temps, la moitié ou presque des étudiants se baladent complètement abrutis par la marijuana. Mais je suis fier de vous dire que Richard est resté en dehors de tout ça. Ronda aussi. C'est notre fille.

— La situation n'est pas si terrible, papa, fit Richard.

— Je ne sais pas ce qu'il te faut ! explosa Holloway. Ecoute, fiston, tu n'es absolument pas au courant de ce qui se passe, et c'est tant mieux pour toi, d'ailleurs.

Richard prit une profonde inspiration et parut prêt à faire l'effort de contester, lorsqu'une clef tourna dans la serrure et que la porte d'entrée s'ouvrit.

— Ronda chérie, fit joyeusement sa mère, as-tu trouvé la robe que tu voulais ?

— Oui, maman.

Elle s'avança dans la pièce, jeta ses paquets sur une chaise puis s'arrêta brusquement en me voyant.

— Qui êtes-vous ? demanda-t-elle d'un ton espiègle.

— Ronda ! lança Holloway d'une voix cassante. Il est préférable d'attendre les présentations.

Elle jeta à son père un regard franc et ouvert.

— Eh bien ?

— Je te présente M. Randall Roberts, chérie, coupa vivement sa mère tandis que Cecil dardait un œil mauvais sur sa fille.

— Salut, monsieur Roberts, fit-elle gaiement. D'où sortez-vous ? Pas du club sportif de Forestville, je parie !

Holloway fronça les sourcils et guigna mon visage pour voir comment je réagissais.

Je réagis fort bien. J'arborai même un large sourire de gratitude, trop heureux qu'elle ait interrompu l'ennuyeux verbiage d'Holloway. Ronda Holloway était aussi grande que sa mère, mais moins svelte. Ses hanches rondes étaient moulées dans une minijupe aux motifs psychédéliques fluorescents, qui révélait des cuisses fortes et fermes s'effilant harmonieusement jusqu'aux mollets galbés et aux petits pieds, enfermés dans des chaussures vernies vert vif aux talons massifs. Elle avait un joli visage rafraîchissant, typiquement américain, un nez rond et mutin, une bouche minuscule aux lèvres taquines et de petits yeux en forme d'olives qui pétillaient de malice. Sa poitrine menue, mais fermement plaquée contre son chemisier vert pomme, me rappelait un fruit frais, mûr, mais pas mou. Elle devait avoir environ vingt ans, et le genre d'ardeur et d'indépendance que j'apprécie vraiment chez une fille.

— J'ai rencontré vos parents au commissariat, fis-je d'un ton désinvolte.

— Sans blague ? Ils t'ont relâché sur caution, Papa ?

— Ronda ! postillonna Holloway. Nous étions allés chercher Charles.

— Bien sûr, papa. Je plaisantais. (Elle sourit d'un air fripon.) Cesse de prendre ta dignité bourgeoise autant au sérieux !

— Charles ne devrait pas tarder à téléphoner, coupa rapidement Mme Holloway. Je lui demanderai de venir dîner à la maison ; alors je ferais mieux de commencer à préparer le repas.

— Certainement. Et moi, je dois rentrer à mon hôtel, dis-je, sautant sur l'occasion.

— Je vais vous reconduire, proposa immédiatement Ronda. Comme je n'ai pas vu de voiture étrangère dans notre allée, j'en déduis que vous êtes à pied, monsieur Roberts ?

J'opinai du bonnet.

— Et j'apprécie votre offre.

— En ce cas, reviens vite, s'il te plaît, ma chérie, fit doucement Mme Holloway. Ce serait gentil si tu pouvais m'aider à m'occuper du dîner.

— Bien sûr, maman. Mais ne prépare rien pour

moi. J'ai dévoré un sandwich juste avant de rentrer et je n'ai plus faim.

— Oh ! Ronda...

— Voyons maman, c'est bon pour ma ligne de ne pas trop manger.

— Au revoir, monsieur Holloway, dis-je en tendant la main au père, je suis sûr que tout se passera bien, mais si vous avez un problème quelconque, passez-moi un coup de fil. Je suis à l'hôtel Ambassador.

— Merci, monsieur Roberts, marmonna-t-il distraitement.

Je remarquai qu'il ne détachait les yeux de sa fille qu'au prix d'un effort.

Je fis mes politesses à Richard et à sa mère, puis me dirigeai vers la sortie avec Ronda. Au moment où nous franchissions la porte, je vis qu'Holloway observait toujours sa fille intensément.

— Vous avez bien dit l'hôtel Ambassador, monsieur Roberts ? Parfait. Je m'en souviendrai.

Il émit un large sourire à la Bon-Vieux-Cecil. Le sourire était pour moi, mais l'avertissement, sans aucun doute, s'adressait à sa fille.

— Papa prend ma virginité terriblement à cœur, glouss a Ronda alors que nous quittions l'allée carrossable dans sa MG vert vif. Il ignore que je l'ai perdue au collège. S'il l'apprenait, il aurait sûrement une attaque. Ça le rendrait plus fou que s'il découvrait que Richard se came, ou que ma mère a une liaison secrète avec notre voisin, ce que je crois d'ailleurs.

Je l'épiai du coin de l'œil pour voir si elle était sérieuse, jugeai que oui, puis m'accrochai désespérément à la ceinture de sécurité tandis que les pneus crissaient dans le premier virage.

— Vos parents semblent se faire un sacré souci pour ces histoires de drogue, grommelai-je, espérant qu'un brin de conversation détournerait mon attention de la vitesse à laquelle nous roulions.

— C'est à cause de Charlie, voyez-vous. Ça fait cinq ans qu'il se défonce, maintenant, et il ne veut rien entendre, au désespoir des parents. Je ne le blâme pas, mais c'est un vrai drogué à l'heure actuelle, et je ne crois pas que ce soit bon. Il ne se pique pas, heureusement, j'en suis certaine. Alors je me dis que s'il est heureux dans ses rêves, pourquoi pas ? Je suis sûre que son optique est plus vraie que celle de papa et maman.

— Je n'ai jamais pris de L. S. D., mais je suppose que vous avez raison, acquiesçai-je. Et Richard ? C'est bien le gentil petit garçon qu'il a l'air d'être ?

— Pauvre Richard. Il a peur de papa, c'est tout. Il ne tient pas vraiment à aller à l'université, mais on lui a collé l'étiquette de fils soumis et je crains que ça lui tienne à la peau.

— Et vous, vous n'êtes pas une petite fille soumise ?

Elle éclata de rire.

— Vous plaisantez ? Tenez, je n'ai aucune intention de retourner chez moi ce soir avant d'avoir fait plus ample connaissance avec vous.

Je dus paraître sincèrement surpris, car elle gloussa et me poussa de l'épaule.

— Ça faisait longtemps que je n'avais pas rencontré d'homme aussi bien baraqué, beau, intelligent et sexy que vous, dit-elle avec enthousiasme. Le cercle social des bourgeois croulants ne dégorge pas précisément de célibataires intéressants et libres.

— Qui vous a dit que j'étais libre ? Et puis je suis assez vieux pour être votre frère aîné, alors laissez tomber.

— Je vais donc rencontrer de la résistance ? soupira-t-elle. Et moi qui vous ai pris pour un opportuniste au sang chaud dès que je vous ai vu !

— Ecoutez, d'abord, votre père viendrait nous trouver, les yeux injectés de sang, si vous aviez ne serait-ce que dix minutes de retard. Ensuite vous êtes jeune et impressionnable. Si vous me connaissiez depuis vingt-quatre heures, vous vous demanderiez ce que vous pouvez bien me trouver.

— Parfait, monsieur Roberts, fit-elle à contrecœur. Pour cette fois, vous vous en tirez. Mais seulement parce que papa risque de tout gâcher. N'allez pas vous imaginer que j'abandonne, ce serait une erreur.

— Merci pour cette liberté sous caution, en tout cas.

— Tiens, ça me donne une idée.

— Je trouve que vous avez eu assez d'idées comme ça.

— Vous avez parlé de caution, non ? Eh bien ! vous allez devoir payer votre libération temporaire.

— Payer avec quoi ? demandai-je suspicieusement.

— Un baiser.

Elle me sourit, suprêmement confiante, comme si elle venait bel et bien de me coincer et que je ne puisse rien faire pour m'échapper. Mais qui aurait eu l'idée de s'échapper ?

— D'accord, répondis-je. C'est dans mes moyens.

Nous fonçâmes encore un moment, dépassâmes le commissariat à environ quatre-vingts à l'heure, puis stoppâmes net à l'endroit où mon Austin Healey était garée. Je restai assis quelques secondes pour reprendre mon souffle.

Ronda martela impatiemment le volant de ses ongles.

— J'attends, fit-elle d'un ton d'examinatrice.

Je plongeai mon regard dans ses yeux. Ils étincelaient dangereusement. Ils étaient brûlants, excités, et franchement intéressés. Je commençais à penser que ce baiser allait être sacrément fantastique.

Et je ne me trompais pas.

J'atteignis bien ma chambre d'hôtel, mais j'eus du mal à me concentrer sur l'idée de manger tout de suite. Mon esprit gravitait autour de l'image de la belle Ronda aux douces lèvres et à la langue fougueuse. Je me servis un Bourbon sec et me concentrai sur l'idée de me relaxer ; je pensai que j'irais peut-être tout droit me coucher sans dîner.

Le téléphone sonna. C'était Calvin, connue du monde rétrograde sous le pseudonyme de Sandra Stillwell.

— Monsieur Roberts, nous sommes libres. Ils nous ont relâchés il y a environ une heure.

— Parfait. Désolé d'avoir été absent, mais je suis allé prendre un verre chez des gens.

— Ce n'est pas grave. Ecoutez, monsieur Roberts, nous allons faire une grande fête ce soir, chez un ami à Forestville. Voulez-vous venir ?

— Ça me ferait plaisir, mais je crois que je détonnerai dans le groupe. Un vieillard comme moi, ça se fatigue facilement. Mais je viendrai vous voir demain matin. Donnez-moi l'adresse, que je puisse vous trouver.

Elle me la dicta et je l'inscrivis.

— Monsieur Roberts ? s'enquit-elle d'une voix hésitante. S'il vous plaît, vous ne pouvez pas venir ce soir ?

— Je suis vraiment crevé, rechignai-je, commençant à soupçonner, d'après le ton de sa voix, qu'il se passait quelque chose.

— Vous savez, monsieur Roberts, pour l'argent... Je voudrais vous parler... (Sa voix se cassa et elle se tut pendant quelques secondes.) J'ai réfléchi, je le prends. Je peux l'obtenir sans problème, n'est-ce pas ?

— Bien sûr, il vous appartient.

— Alors, pouvons-nous en discuter ce soir ? (Elle paraissait soulagée.) J'aimerais que tout soit arrangé.

— Naturellement que nous pouvons en parler. Mais je ne pense pas qu'une fête soit l'endroit indiqué. Pourquoi ne pas me retrouver à mon hôtel ?

— Oh non, je ne peux pas. Je vous en prie, venez.

— D'accord.

— Merci. Vous avez bien noté l'adresse ?

Rien de spiritualiste dans cette voix, songeai-je. Seulement de l'anxiété. Seulement une pure frayeur.

— Oui. J'y serai dans deux ou trois heures.

Et voilà. Sauron lui avait parlé, et il n'avait pas mis longtemps pour la convaincre que l'argent était plus important que la pureté spirituelle. Et maintenant, comment allais-je la convaincre, moi, que Sauron était un escroc psychopathe ? Encore un problème qui devrait me divertir à souhait !

Je me jetai sur le lit et m'allongeai, le corps à moitié baigné par le cercle de lumière tamisée de la lampe de chevet. Pourquoi était-il si compliqué de remettre vingt mille dollars à un tiers ?

Comme si quelqu'un voulait répondre à ma question, le téléphone retentit.

— Ouais ?

— Ici un mec qui a besoin d'un avocat, me

rugit dans l'oreille une voix rugueuse que je reconnus tout de suite.

— Qu'est-ce que t'as encore fait, Harry ? A moins que tes crimes ne se limitent à balancer un cadavre dans une ruelle ?

Il y eut une pause.

— Ecoute, mec, faut que je t'explique, finit par répondre Harry-Le-Singe d'une voix rauque.

— C'est pas à moi que tu dois des explications, mais ça m'intéresse.

— Je m'en doute. C'est un peu pour ça que je t'ai appelé. Et puis pour te dire que les filles se demandent si tu vas pas venir nous rendre une petite visite, un jour. T'as vraiment intéressé Jam Jam. T'as peut-être pas retenu son nom, mais c'était la PREMIERE, tu te rappelles ?

Je grognai, car je venais de sentir comme un coup dans les reins.

— Ouais, bon, elle m'a demandé de te demander si t'allais laisser tomber après le premier essai.

— Dis-lui que j'ai pris un peu d'exercice pour m'échauffer, et que je tâcherai d'être reçu à l'examen la prochaine fois. Pour le moment, j'ai à m'occuper de choses plus importantes que des orgies.

— Ça m'inquiète de t'entendre dire ça, mec. Qu'est-ce qui se passe ?

— Il se passe que j'aimerais bien savoir pourquoi tu as balancé le corps à la rue, au lieu d'appeler les flics, comme on avait convenu.

— Ça m'embête de t'avouer ça, mais je suppose que les avocats ont l'habitude d'entendre des mecs se déballer. Un peu comme les toubibs et les prêtres, hein ?

— Je ne te dénoncerai pas, si c'est ça qui te préoccupe.

— Oh non... je voulais dire que... tu comprends, je me sens un peu embarrassé. Quand on est un mastodonte velu de deux cents livres tranquille, affranchi et tout...

— Les filles doivent s'impatienter, Harry. Si tu en venais au fait ?

— Le fait, c'est que j'ai eu les jetons, lâcha-t-il vivement d'une voix contrariée.

— Les jetons de quoi, Harry ? Je croyais que tu devais seulement te débarrasser des mineures et de l'herbe...

— Ouais, mais ça n'avait rien à voir. Je n'avais rien à me reprocher. Seulement voilà, j'ai examiné attentivement l'attirail de La Fraise, au moment où j'étais prêt à appeler les flics. Je ne suis pas un drogué, mec, mais j'ai pas mal d'expérience.

— L'expérience d'un ancien drogué ?

— L'expérience d'un type qui a traîné avec d'anciens drogués. Je connais la marche à suivre, si tu préfères.

— Tu sais comment on s'injecte de l'héroïne, résumai-je à sa place.

— Voilà. Eh bien, mon vieux Randall Roberts, je crois que quelqu'un s'est chargé de la sale besogne à la place de La Fraise.

Mes idées changèrent brusquement de cap.

— Comment ça ? demandai-je avidement.

— On a chargé sa seringue de came pure, tu sais, non diluée. Je sais ce que ce mec s'injectait, et c'est pas ce qu'il y avait dans sa seringue, mec. Cette dose aurait pu tuer un cheval. Je ne déconne pas.

— Comme tu dis. Tu as pensé qu'il s'agissait d'un meurtre, mais tu as eu peur qu'on t'accuse. Alors tu as détruit les preuves et tu t'es débarrassé du corps.

— C'est un peu ça, mec, souffla-t-il, et je crus détecter un soupçon de culpabilité dans sa voix.

— Compliments, grondai-je. Alors pourquoi m'appeler ?

— J'ai pensé que c'était pas bon de laisser celui qui a tué La Fraise s'en sortir. C'était pas un mauvais bougre, dans le fond...

— Tu as donc un cœur, Harry, en plus des couilles ?

— Oh, écoute, mec, je suis pas responsable de ma constitution.

— Retourne à ton harem, Harry. T'as assez fait travailler ton cœur pour aujourd'hui.

— Mais écoute, mec, j'avais pensé que tu pourrais peut-être...

— Quoique tu aies pensé, il n'y a rien qu'on puisse faire, ni l'un ni l'autre, pour La Fraise. Ton histoire n'intéresserait pas la police locale, même si ça t'intéressait de la leur raconter. Alors oublie ça, à moins que tu songes à un truc qui puisse désigner un coupable possible. Tu n'as pas une idée ?

— Non, mec. La Fraise était plutôt antipathique, mais pourquoi le tuer, vu qu'il était défoncé la plupart du temps, de toute manière.

— Très bien, Harry. Au revoir.

— D'accord. Comme tu voudras. Si jamais j'ai une idée, je...

— Tu me préviendras, Harry ?

— Ouais ?

— Dis à Jam Jam que je ne l'oublierai jamais.

— Entendu, mec. Mais je crois qu'elle s'en doutait déjà.

— Merci, Harry, fis-je avec hargne. Comme je te le disais...

— J'ai du cœur ?

— Non, t'es un emmerdeur.

Je raccrochai.

Une heure après, je m'étirai, m'extirpai du lit et me versai un autre verre. Je l'avais presque terminé quand quelqu'un se mit à marteler ma porte. Le rythme était régulier, éperdu. Je posai le verre à moitié vide sur la commode, me levai, et tournai la poignée.

Un type, en chemise et pantalon de daim crasseux, entra en trébuchant dans la pièce. Il tomba à genoux, mais continua à se traîner sur le plancher. Puis il partit en avant, se rattrapa sur les mains et rampa ; sa tête finit par heurter le mur opposé. C'était Cerf Bondissant, le premier membre de la Tribu folle que j'avais rencontré.

— Ils m'ont piqué ! Ils m'ont piqué ! cria-t-il d'une voix stridente et paniquée. Ces salauds ont décidé de nous tuer ! L'Homme Blanc a encore baisé l'Indien. Mon Dieu, aidez-moi. Ils m'ont eu... Oh, mon Dieu, mon Dieu, je veux rentrer à la maison...

Il fit volte-face, toujours à quatre pattes, et s'avança en sautant comme un fou. On aurait dit un film projeté à deux fois la vitesse normale. Il buta dans le lit, fit un nouveau demi-tour, bondit encore un peu, puis il piqua fortement du nez et se cogna violemment la tête contre l'épaisse moquette marron et rouge de l'hôtel le plus sélect de Forestville.

CHAPITRE V

Le sergent James Brown arriva avant l'ambulance. Il posta un policier au-dehors et un autre le suivit dans la pièce. Immédiatement, il s'agenouilla et examina le corps. Il tâta le pouls, lui souleva une paupière d'un gros doigt épais, puis leva les yeux et me sourit.

— Il est mort. Mais depuis quelques minutes seulement. J'ai déjà vu ces symptômes. Il s'agit d'une puissante dose d'héroïne. Il y est allé un peu fort, ce coup-ci. Tellement fort qu'il n'avait pas une chance de s'en remettre.

— Il n'avait pourtant pas l'air de se piquer, habituellement, remarquai-je. Il ne porte pas de cicatrices sur le bras.

— Ça ne prouve rien. Il se piquait peut-être pour la première fois, et comme il ne connaissait pas les quantités, il s'en est trop injecté. Ou il la reniflait, d'habitude, ou il savait très bien se servir de l'aiguille. Avec une bonne seringue et des précautions, on ne laisse pas de cicatrices.

— N'empêche, je ne pense pas qu'il était accroché à l'héroïne.

— Vous ne le pensez peut-être pas, Roberts, répliqua-t-il d'un ton hargneux, mais franchement, votre opinion ne m'intéresse pas le moins du monde. Je connais votre indulgence pour ces hippies, mais moi je ne marche pas. Ce cadavre, ça fera toujours un camé de moins pour la société honnête. Et je veux bien payer une tournée pour arroser ça.

— D'accord, grinçai-je. Je saisis votre point de vue. Comme c'était un hippie et un camé, vous êtes heureux de faire d'une pierre deux coups. Seulement, à mon avis, un flic à qui on facilite la tâche n'a pas de quoi être heureux.

— Vous insinuez que quelqu'un a enfoncé cette aiguille dans son bras à sa place, c'est bien ça ?

Il lança au policier un regard appuyé d'un sourire en coin. Puis il masqua son amusement en posant sa grosse main sur sa mâchoire carrée.

— Je dis que c'est possible.

Il se releva lentement et resta debout, une main accrochée au lourd ceinturon de cuir qui lui encerclait les hanches et qui pendait, par-devant, sur son imposante brioche.

— Je ne dis pas le contraire, Roberts. Je vous demande simplement de le prouver.

— Simplement ! fis-je avec emportement. Figurez-vous que j'avais la stupide impression que le boulot des flics ne consistait pas uniquement à ramasser des cadavres. Je les croyais capables d'envisager l'affaire sous tous les angles, au cas où les faits ne concorderaient pas avec la conclusion soi-disant évidente.

— Je ne suis pas allé au collège, Roberts, alors je suis moins doué pour le calcul que vous. Mais si vous voulez, vous pouvez considérer les angles en question à ma place, et je vérifierai votre boulot.

Les deux flics éclatèrent de rire à cette bonne plaisanterie, puis les ambulanciers arrivèrent. Deux types en uniforme blanc, l'air fou furieux qu'on ait interrompu leur partie de poker, saluèrent les flics d'un signe de tête et roulèrent le jeune mort sur la civière.

L'un des deux types en blanc hocha la tête sans mot dire, et ils repartirent chargés de la civière, avec la même expression revêche qu'à leur entrée.

Le sergent me regarda.

— Je retourne au commissariat signer le registre. Après j'irai boire un coup avec quelques collègues. Voulez-vous vous joindre à nous ? Vous pourriez peut-être en apprendre un bout sur le boulot des flics.

— Merci, grondai-je, mais je connais déjà un tas de blagues obscènes.

Il ne répondit rien. Il se contenta de sourire et franchit la porte.

Je continuai à fixer hargneusement son fantôme pendant quelques minutes, puis je me servis à boire. Rien ne me tentait moins qu'une fête, pour le moment. J'avais une migraine taraudante. Mais deux raisons me poussaient à y aller, à présent :

instruire Calvin de ce qu'elle ne devait pas faire de son argent, et apprendre à tous les amis de Cerf Bondissant qu'il était en route pour le Paradis des Peaux-Rouges. Et pendant que j'y étais, je pourrais peut-être adopter la suggestion du sergent et jouer un peu au détective. Si j'arrivais à prouver que ce môme ne se piquait pas, j'obtiendrais peut-être du patron du commissariat qu'il se livre à une petite enquête routinière.

Tandis que je m'imaginais en grand détective, plus grand encore que Mike Hammer, le téléphone sonna.

— Allô, Randall ? fit anxieusement une douce voix féminine. Ici Ronda Holloway. Je suis inquiète. Je crois que maman et Charles ont eu une dispute terrible.

Je me demandai en quoi je pourrais bien résoudre leurs histoires de famille, puis je songeai que j'étais probablement le mâle diplomatique le plus proche dans la vie actuelle de Ronda, et je répondis poliment :

— Charles a dîné avec vous ?

— Non, non, il a refusé. Maman est partie le rejoindre quelque part en voiture, elle n'a pas voulu dire où. A son retour, je l'ai trouvée dans un terrible état d'agitation. Mais elle a prétendu qu'il n'était rien arrivé et elle a refusé de lâcher un seul mot de ce que Charles avait dit ou fait.

Sa voix s'était progressivement élevée jusqu'à un filet strident. La crise de nerfs n'était pas loin.

— A votre place, je ne me bilerais pas trop,

dis-je d'un ton apaisant. Ce genre de querelles, ça arrive toujours entre les parents et la progéniture têtue. Ecoutez, je dois voir la Tribu, ce soir. Ils donnent une fête et votre frère y sera sûrement. Si je le vois, je lui parlerai. Je ne pense pas pouvoir arranger grand-chose, mais j'essaierai, et je vous raconterai.

— Oh merci, Randall, je vous suis vraiment reconnaissante.

Sa voix était brusquement redescendue à un chuchotement rauque. Tout aussi brusquement, je me demandai si l'état de sa mère ne la préoccupait pas moins que garder mon attention en éveil. Mais pourquoi me plaindre ? Elle valait la peine qu'on lui prête attention.

— Votre mère va mieux maintenant ? m'enquis-je avec un calme forcé.

— Oui, je crois. Elle a pris de l'aspirine et elle s'est allongée dans sa chambre.

— Parfait. Continuez à lui fournir de l'aspirine et une tendre épaule filiale pour pleurer dessus. De mon côté, je flanquerai un bon coup de pied dans le postérieur rebelle de Charles. Je vous téléphone demain.

— Merci encore, Randall. Et ne soyez pas trop dur avec mon frère.

— Bien sûr que non ! Je serai psychologue. Je lui dirai que j'ai rencontré sa famille et que je me demande comment un type aussi nature que lui a bien pu tenir le coup dans une atmosphère aussi débile. Il me trouvera à la coule, il se confiera à moi, et je trahirai ses secrets à sa cave de sœur. Ça vous va ?

— Oui. Sauf pour la « cave de sœur ». A demain.

Une nouvelle expérience allait enrichir la psyché de Roberts : une fête hippie. Je ne pus m'empêcher d'être perplexe. Allais-je supporter le choc ? A quoi pouvais-je m'attendre ? Une orgie monstre ? Tout le monde hors de soi-même, défoncé et à poil ? C'était une image mentale passionnante et je l'emportai avec moi le long du chemin en ciment lézardé, aux fissures envahies de touffes d'herbe.

La vieille maison en bois délabré aurait dû s'écrouler depuis des années. Curieusement, elle ne se trouvait qu'à une centaine de mètres du bordel qu'Harry-Le-Singe appelait sa demeure. On comprenait tout de suite pourquoi elle servait de refuge aux hippies. Le propriétaire n'aurait jamais pu la louer à personne d'autre, vu la prospérité de Forestville où seuls les riches, les oisifs et les rentiers venaient vivre, et où on n'était pas complètement apprécié si on ne réunissait pas ces trois qualités à la fois.

Il y avait une contre-porte, pendue par quelques vis rouillées, devant l'entrée, mais elle paraissait peu capable de me barrer le passage. La porte intérieure étant ouverte, je soulevai la cloison et entrai. Peut-être, par un coup de pot inouï, réussirais-je à trouver Calvin sans que Sauron me voie ?

C'était un espoir insensé, mais mes étoiles devaient toutes m'être favorables, ce jour-là, car je la repérai dès mon arrivée dans le sombre living-room. Elle était assise dans un fauteuil crasseux, dont le rembourrage de coton dégorgeait du capitonnage déchiré, comme si un lion y avait aiguisé ses griffes.

Aucune lumière n'éclairait la pièce, à part le reflet voilé des réverbères de la rue, mais je la reconnus tout de suite. Elle se tenait très droite et très raide, et elle me fixait d'un regard vitreux. Ses cheveux roux, emmêlés et humides, retombaient en mèches noueuses sur sa poitrine.

— Vous allez bien ? chuchotai-je en m'approchant sur la pointe des pieds.

— Oui, répondit-elle d'une voix basse et monocorde. Je suis heureuse que vous soyez venu. Ça fait longtemps que je suis assise ici, à vous attendre.

— Vous avez changé d'avis, pour l'argent ?

— Oui.

— Vous le voulez ?

— Oui.

— Sauron vous a conseillé de le prendre ?

Elle ouvrit la bouche automatiquement.

— Ou...

— Et de le lui donner ?

— Pas à lui ! fit-elle sèchement. (Ses yeux eurent une lueur de colère.) A tout le monde. A la Tribu. Sauron est la source de notre communauté, l'esprit mûr qui nous lie les uns aux autres. Il m'a fait comprendre l'importance d'établir notre véritable indépendance vis-à-vis de la société.

— Vous voulez dire qu'avec l'argent, vous n'aurez plus à dépendre de... (Je m'arrêtai à mi-phrase, frappé soudain par l'idée que j'ignorais totalement de quoi ils dépendaient.) Comment faites-vous pour vivre, d'habitude ?

— Nous nous contentons du moins possible, répondit-elle, profondément sérieuse. Mais le peu d'argent dont nous avons besoin, c'est Sauron qui nous le donne. Et il m'a expliqué qu'il serait raisonnable que ce soit lui qui touche les mensualités dont vous avez parlé. Comme ça la Tribu aurait toujours la sécurité financière, de quoi manger, se vêtir et...

— Fumer ? suggérai-je.

Elle secoua vivement la tête.

— Toute l'herbe nous est fournie par Sauron. Nous ne la payons pas.

— On ne le croirait pas, mais ses parents doivent être pleins aux as, répliquai-je avec ironie.

Calvin fronça les sourcils et me lança un regard désapprobateur.

— Ses parents sont morts, lâcha-t-elle d'une voix tragique.

— D'accord. Alors, d'où sort-il cet argent ?

— Je ne devrais pas vous le dire, fit-elle d'un ton incertain. Vous pourriez le répéter aux flics.

— Je suis avocat, m'écriai-je, exaspéré. Le secret professionnel, vous connaissez ?

— Bon, alors, je pense que je peux y aller...

(Elle hésita.) Il vend de l'herbe et du LSD à tous les hippies de la Côte. Et je crois même qu'il a quelques contacts à San Francisco.

— Et les drogues dures ? demandai-je. D'où viennent-elles ?

— Sauron n'y touche pas ! fit-elle ardemment. Il refuse catégoriquement. Les drogues qui élargissent l'esprit, comme la marijuana ou le LSD, sont une sorte de sacrement religieux. Elles vous élèvent à un niveau de découverte spirituelle plus grand, et au bout d'un certain temps, vous n'en avez même plus besoin, vous restez naturellement branché sur la connaissance universelle que vous venez de découvrir. Mais l'héroïne, la morphine et tout ça, ce sont des drogues destructives. Sauron distribue de l'herbe et du LSD parce que ça fait partie de son plan spirituel pour élever tout le monde à la liberté et à la connaissance que ces drogues peuvent apporter. C'est son devoir, et il ne le fait pas pour de l'argent. Jamais il ne toucherait aux drogues dures.

— C'est lui qui vous l'a dit ? demandai-je d'un ton sceptique.

— Je sais que c'est vrai, répliqua-t-elle avec colère. Vous ne le croyez pas parce que vous ne voulez pas le croire, parce que vous n'aimez pas Sauron. Mais il n'a jamais touché à l'héroïne. Personne ne doit se piquer, c'est l'une des règles absolues de la Tribu. Et c'est pourquoi Sauron était sur le point de renvoyer Fraise-à-Cheval.

Je hochai la tête. Sauron ne m'avait pas frappé

dans son rôle d'Ange Gardien, mais mes préjugés m'influençaient peut-être, et de toute façon, ça pouvait être un simple moyen de se protéger lui-même. C'est un gros risque, pour un vendeur de came, d'avoir un camé dans son camp. Mais de toute évidence, Calvin m'avait raconté tout ce qu'elle savait, et ce qu'elle croyait être vrai.

Elle me sourit faiblement.

— Je l'aimais bien, en un sens, Fraise-à-Cheval. Il me faisait de la peine. Mais il n'était pas très élevé, spirituellement.

— Il l'est maintenant, remarquai-je. Et Cerf Bondissant aussi.

Elle me fixa d'un air ahuri pendant quelques secondes, pas vraiment sûre d'avoir compris.

— Cerf Bondissant ? Est-ce qu'il est...

— Mort. D'une trop grosse dose d'héroïne, apparemment.

— Non ! (Elle plaqua sa main contre sa bouche, ses yeux bleu pâle s'agrandirent d'horreur.) C'est impossible, haleta-t-elle. Impossible. Il ne se piquait pas. Jamais il n'a pris d'héroïne, jamais...

— En êtes-vous sûre ? demandai-je d'une voix intense. Vous êtes certaine qu'il ne s'injectait pas d'héroïne ?

— Non ! Jamais ! Je sais qu'il ne s'est jamais piqué.

— Je suppose qu'il n'aurait pas pu faire ça à l'insu de tout le monde ?

— Nous n'avons aucun secret entre nous, monsieur Roberts, fit-elle, les yeux tout ronds de sincérité. Et nous sommes ensemble, dans la forêt, la plupart du temps. Comment quelqu'un pourrait-il se piquer sans que nous le sachions ? Nous avons soupçonné La Fraise quand il s'est mis à aller tout le temps en ville. Mais Cerf Bondissant ne sortait presque jamais. Il appréciait bien trop la forêt !

J'avais donc vu juste. Dose mortelle d'héroïne administrée par un, ou des inconnus ; tel était le verdict de l'enquête menée par le juge et jury Randall Roberts. A présent, il ne me restait plus qu'à découvrir comment, pourquoi, et qui !

— Bon, parlons maintenant de ce que nous allons faire de votre héritage.

— Comment pouvez-vous ? Pauvre Cerf Bondissant. Il ne peut pas être mort. C'est impossible.

— Il est entré dans ma chambre d'hôtel et il s'est effondré.

Il faudrait revenir à la question de l'héritage plus tard. Et de toute façon, j'avais dans l'idée que Sauron mettrait le grappin dessus, quoi que je fasse.

— Quelqu'un doit l'avoir tué, chuchota Calvin d'une voix étouffée et incrédule. Ça ne peut être que ça. Je le connaissais trop bien, il ne se serait jamais injecté d'héroïne tout seul.

Je hochai la tête.

— D'accord avec vous. Mais qui ? Là est la question. Vous pouvez peut-être m'aider à la résoudre.

— Si j'en suis capable, bien sûr, fit-elle d'une voix lointaine. Pauvre, pauvre Cerf Bondissant.

— Pour commencer, je me demande pourquoi il est venu me trouver à mon hôtel. Vous étiez la seule à connaître mon adresse. Vous la lui avez donnée ?

Elle secoua la tête. Ses yeux étaient vitreux, égarés. Elle avait dû fumer de la marijuana avant mon arrivée.

— Je l'ai donnée à Sauron. Je crois que c'est tout.

— Bon. Il ne reste plus qu'à tâcher d'oublier. Vous avez un endroit pour vous étendre et dormir un peu ?

— Je serai très bien ici, murmura-t-elle. L'endroit où repose le corps n'a aucune importance, si l'esprit est libre de voyager.

Elle sourit d'un air énigmatique.

Je la laissai donc dans le vieux fauteuil, que tout camé qui se respecte aurait jeté au feu, libre de flotter jusqu'à un haut niveau spirituel où elle rencontrerait peut-être l'âme éternelle de Cerf Bondissant.

Un couloir qui prolongeait le living-room m'amena devant plusieurs portes ouvertes. Maintenant que j'y pensais, c'était bien la fête la plus silencieuse dans laquelle j'étais jamais tombé. Une fille défoncée dans un living-room, et le silence partout ailleurs. Un vrai conte fantastique !

Je dépassai les deux portes ouvertes, qui donnaient sur des chambres vides, puis je détectai une faible lueur vacillante en provenance d'une troisième pièce.

Je passai la tête par la porte et vis plusieurs membres de la Tribu, affalés sur des coussins et sur un matelas nu à deux places jonché de taches. Ils étaient tout bonnement assis à tirer sur des cigarettes, sans souffler mot. La lumière que j'avais aperçue provenait de trois bougies enfoncées dans les goulots de vieilles bouteilles de vin. Il n'y avait aucun mobilier dans la pièce.

Cinq personnes étaient réunies : Sauron, Golem, Squaw Blanche, Jésus-Christ et Bang Bang. J'entrai. Personne ne me regarda, personne ne parut noter ma présence. Pas besoin d'appartenir à la grande famille des camés pour s'apercevoir qu'ils planaient aussi haut que la lune, et qu'ils n'avaient pas fini de monter !

— Hé Sauron, grondai-je en lui cognant la jambe. Si vous descendiez un peu de vos sommets ? J'ai besoin d'un avis spiritualiste à propos d'une chose affreuse qui vient d'arriver.

Ses yeux sombres me transpercèrent.

— Heureux que vous soyez venu, monsieur Roberts, fit-il d'une voix légèrement brouillée, mais qui réussit néanmoins à communiquer l'ironie voulue. Regardez tous, M. Roberts est là ! Il nous apporte la manne du ciel et un message du monde civilisé. Oyez le message : « Nous ne vous supportons pas, ô camés incapables qui haïssez le travail honnête, mais nous vous apportons la manne du ciel... »

— La manne du ciel, entonnèrent les autres, reprenant la psalmodie.

— Quand avez-vous vu Cerf Bondissant pour la dernière fois ? lui balançai-je, espérant le décontenancer.

Sauron cligna des paupières et me décocha son fameux sourire imperceptible.

— Quand je l'ai envoyé vous chercher, pour être sûr que vous participeriez à la fête, Roberts. Il n'est pas revenu avec vous ?

— Il n'a pas pu, lâchai-je en crachant mes mots avec concision. Il est mort.

Ils étaient défoncés, mais pas au point de ne pas marquer le coup. Squaw Blanche émit un cri étranglé, perçant et geignant, puis se mit à sanglo-ter en silence dans ses mains ouvertes. Les grands yeux typiquement américains de Bang Bang s'emplirent de tristesse, et Jésus-Christ fixa le plafond de son regard vide, comme s'il cherchait l'esprit ascendant. Sauron et Golem me reluquèrent d'un air vache et furieux.

— Qu'est-ce qui s'est passé ? lança sèchement Golem.

— Quelqu'un lui a injecté une dose mortelle d'héroïne, répondis-je.

— Mais c'est imposs...

Les yeux de Sauron flamboyaient.

— Pourquoi ? C'était un de vos revendeurs,

non ? Quoi de surprenant à ce qu'un client en ait eu marre de payer pour sa défonce et qu'il ait décidé de se servir à l'œil en offrant à Cerf Bondissant un aller gratuit pour l'Au-Delà ?

— Je ne suis pas un trafiquant, l'Avocat, répondit rapidement Sauron. Et Cerf Bondissant n'a jamais rien vendu pour moi. La Tribu n'est pas une entreprise commerciale, c'est un groupe de personnes qui cherchent à communier avec l'Esprit Suprême. Mais vous seriez incapable de comprendre cette vision métaphysique.

— D'accord, dis-je calmement. Cerf Bondissant était venu me chercher pour s'assurer que je participerais à votre fête. Pourquoi ?

— Mais... parce que vous êtes le clou du spectacle, si vous voyez ce que je veux dire, ricana Golem.

Sauron lui lança un rapide coup d'œil et Golem détourna la tête, serra les lèvres en une ligne imperceptible.

— Calvin vous a transmis le message, l'Avocat ? fit Sauron. A propos de l'argent ?

— Ouais. Elle m'a dit que vous lui aviez proposé de vous en occuper à sa place. Je lui ai simplement fait remarquer qu'il valait mieux garder du fric dans une banque que sous une pierre.

Ça n'eut pas l'air d'amuser Sauron. Mais comment savoir, avec lui, puisqu'il arborait toujours le même air sinistre, comme si la seule chose au monde qui pourrait le faire rire serait que vous

vous coupiez les couilles et que vous les lui offriez sur un plateau.

— Je me fous de vos réflexions, l'Avocat, répondit-il d'une voix lente et régulière. Calvin veut que l'argent aille à la Tribu et que vous apportiez les papiers pour qu'elle puisse obtenir ces mensualités dont vous avez parlé. Seulement, elle veut que ce soit moi qui les touche.

— Les papiers sont établis pour qu'ELLE touche l'argent, aboyai-je. Il ne lui reste plus qu'à signer. Mais malheureusement, vous devrez lui arracher le pognon des mains, car elle ne peut transmettre sa signature à personne.

Sauron hocha la tête sans décrocher son regard du mien.

— D'accord, l'Avocat. Ça n'a pas d'importance. La Tribu ne fait qu'un. Calvin signera, l'argent nous reviendra, et on aura joué un bon tour au monde des caves, pas vrai ? Un bon tour à tous les ramasseurs de fric de votre acabit !

Si c'était un si bon tour, pourquoi ne riait-il pas, au lieu de me reluquer avec ses yeux vitreux ? Mais il avait raison. Je ne pourrais pas empêcher Calvin de lui donner l'argent. A moins que...

— Ouais, l'Avocat, glousa Golem. On dirait qu'on vous a bien eu. Allez tout le monde, un grand rire pour l'Avocat !

Comme personne ne faisait écho, Golem se leva brusquement et approcha du mien son visage couvert de sueur aux yeux creux. Je ne l'avais pas bien regardé jusqu'alors, mais là, malgré ce sourire grimaçant et ces cheveux sales et emmêlés qui tombaient en mèches grasses sur ses épaules, je constatai qu'il était beau. C'était un brun, aux traits forts et solides, comme le reste des Holloway. Un bel adolescent fougueux, un fils de bourgeois américains moyens, un gosse qui savait haïr. Il avait peut-être appris dans les livres d'Histoire, ou grâce à la télévision, grâce à ses parents, ou peut-être portait-il cette haine en lui depuis toujours. En tout cas, il avait appris quelque part à haïr froidement, résolument. Je le lisais dans ses yeux et dans la dure torsion de son sourire.

— Pourquoi n'êtes-vous pas rentré chez vous comme votre mère vous l'a demandé ? dis-je vivement.

— Parce que je ne mange pas le même pain qu'eux, répondit-il d'un ton cassant. Et puis qu'est-ce que ça peut vous foutre, de toute façon ?

— Votre sœur est très inquiète. On dirait que vous avez pas mal bouleversé votre mère.

— Quel dommage, nom de Dieu !

Il tira profondément sur son joint en me foudroyant du regard. Puis il rejeta un lourd nuage de fumée âcre qui me prit par surprise. J'en aspirai dans mes poumons, et l'âpre fumée fut trop forte pour les membranes inhabituées de ma gorge. Je me mis à tousser. Mes yeux me piquaient et je les frottai tout en essayant de soulager l'irritation de ma poitrine.

— Bougez pas, l'Avocat, ricana Golem. Je vais vous chercher un verre d'eau.

Quelques secondes plus tard, j'entendis un robinet couler, et on me fourra un godet dans la main. Je le portai à mes lèvres et en goûtai une minuscule gorgée. C'était bien de l'eau. Et elle avait bon goût. J'en ingurgitai quelques saines goulées et me sentis mieux. L'irritation n'avait pas complètement disparu, mais je ne toussais plus.

Je battis des paupières, avançai un bras et saisis Golem par le devant de sa chemise crasseuse.

— Vous avez passé l'âge des fessées que votre cul n'a jamais reçues, morveux, grondai-je. Alors je vais remédier à l'omission de vos parents en vous cassant la...

Il me sourit. Son sourire s'étala sur son visage et continua de s'étaler... s'étaler à travers toute la pièce ! L'espace d'un éclair, je me demandai comment un sourire pouvait bien quitter la face de son propriétaire, puis j'oubliai, car les traits de Golem s'étaient mis à se dilater sous mes yeux, ils devenaient de plus en plus larges, et bientôt je ne vis plus qu'un énorme pore luisant de sueur et gluant qui devait se trouver, à mon avis, tout au bout de son nez.

Puis j'entendis un rire colossal, à la fois proche et lointain, qui rebondit sur moi de tous côtés, comme une balle de caoutchouc sans poids. Une voix sortit des profondeurs de l'espace et flotta vers moi :

— Au revoir, l'Avocat, et bon voyage !

CHAPITRE VI

Ma première réaction fut la panique. Je ressentais comme l'appréhension d'un malade qui attend dans un hôpital l'heure de subir une très grave opération, du genre tu-crèves-ou-tu-t'en-sors, où on ne peut que faire confiance au médecin. Seulement moi, je me trouvais dans une centaine d'hôpitaux à la fois, j'attendais une centaine de toubibs, et je SAVAIS que c'étaient tous des charlots.

J'ignorais ce que j'avais pris. Je supposais que c'était du LSD, auquel cas je survivrais à l'expérience, en perdant peut-être seulement ma raison en chemin. Mais comment pouvais-je savoir exactement ce qu'ils m'avaient fait avaler ?

J'avais l'impression qu'on m'avait ouvert la tête à la perceuse électrique, et c'était dans ma propre âme que je plongeais mon regard, comme dans un souterrain illuminé qui menait au centre de la terre. Et tout au fond, en bas, je voyais une sorte d'enseigne au néon : PANIQUE !

J'enjambai le bord du gouffre, un peu inquiet à l'idée de ce qui allait se passer, et je commençai à tomber. Pendant la descente, je compris pleinement ce que le mot « tourment » signifiait.

Avant d'atteindre le fond, je me mis à errer dans la pièce pour trouver une sortie. Je n'arrêtais pas de passer devant la porte ouverte, mais je tournais, tournais, et repassais devant. Je savais que la porte était là et que je n'avais qu'à la franchir, seulement je ne pouvais pas marcher, puisque je tombais. Je tombais droit vers le centre de la terre. Panique !

Je me précipitai vers ce que je croyais être une porte, mais ce n'était qu'une illusion et je percutai le mur. Il me sembla hurler, un moment. Puis brusquement, je cessai de m'angoisser. Mon esprit logique, flottant quelque part dans une autre dimension, observait impartialement ce qui se passe quand un type se cogne la tête contre un mur. Je séparai soigneusement, couche par couche, la douleur qui envahissait mon crâne. Elle devint de plus en plus faible, mais toujours présente dans la sensation de picotement qui s'étendait dans chacune de mes terminaisons nerveuses. En me concentrant bien, je pouvais sentir mon mal de tête au bout du nerf de mon gros orteil, mais je n'en souffrais pas. Pas dans le gros orteil. C'était seulement une sensation, une conscience, et une fois que j'eus repéré la forme des ondes de douleur, qui s'étalaient sur un chemin solide entre le mur et mon front, ma migraine disparut, comme une simple vague sur un lac immobile se perd dans la distance.

Et soudain, apaisement ! Je n'étais plus dans une pièce. Je n'étais plus nulle part. J'étais partout ! Tout à coup, les murs se désagrégèrent, le plancher fondit, et le plafond s'ouvrit sur le ciel. Et je pus voir, plus que voir même, comprendre, la structure de la matière. Plus que ça encore, je SAVAIS tout ! Le juge Roberts, suzerain céleste, volait dans l'espace et contemplait les atomes qui sifflaient autour de lui !

Je volais si haut que j'avais quitté ce bas monde, et peut-être, oui peut-être, ne redescendrais-je jamais. Mais ça ne me tracassait absolument pas. J'étais bien là-haut. JE NE VOULAIS PLUS REDESCENDRE. J'étais dans la réalité. Ma vie passée de petit avocat terrestre se débattant dans le jeu nommé « Comment gagner sa vie par l'accomplissement intellectuel » était tellement étriquée...

J'étais au-dessus de ces illusions, à présent, baigné dans la pure réalité, et j'y étais réellement, pour de bon. Et une telle paix régnait, une telle beauté, un tel flottement...

Je disparus un instant au voisinage de la Nébuleuse Noire, je planai à travers l'espace dans une solide enveloppe de sentiments et de sensations où la seule couleur, le seul mouvement existants provenaient des minuscules explosions électriques qui étincelaient derrière mes paupières.

Au bout d'un moment, je compris que j'étais allongé sur un lit, les yeux fermés, et que quelqu'un me tiraillait la jambe. Seulement, ça n'était toujours pas MOI qui étais étendu, je me VOYAIS sur le lit. Et parce que j'étais en dehors de mon corps, quelque part, en train de m'observer, je me crus capable de comprendre ce qui arrivait à ma jambe sans ouvrir les yeux. Mais pour une raison mystérieuse, ça loupa. Lorsqu'on cessa de maltraiter ma jambe gauche pour se mettre à tirer sur la droite, je réussis à surmonter ma complète inertie et à soulever une paupière. A cet instant précis, je vis un bras blanc, mince et gracieux, tenir une forme abstraite que je finis par reconnaître : un pantalon. Quand deux petites mains délicates aux courts doigts effilés et de la plus exquise douceur satinée commencèrent à déboutonner ma chemise, je compris que le pantalon m'appartenait.

J'ouvris l'autre œil, et je me concentrai pour remettre en ordre les atomes de mes pupilles afin de distinguer, derrière ces mains, autre chose que des formes floues et distordues. Je dus employer beaucoup d'intelligence, car ces bonnes vieilles pupilles étaient aussi mélangées que des œufs brouillés. Mais j'y parvins. Un contrôleur de la matière aussi brillant et aussi omniscient que moi devait obligatoirement y parvenir. Soudain, je pris conscience de ma puissance. Je pouvais tout maîtriser, même les atomes de mes propres pupilles, et ce n'était pas une impression, je le pouvais vraiment !

Et que vis-je apparaître devant mes yeux d'aigle revenus en place ? Miss Blondeur des Blés, agenouillée sur le lit au-dessus de moi.

Son profond regard bleu ciel plongeait droit dans le mien. Brusquement ma vision redevint nette et je m'aperçus que les blés étaient en feu. Ils brûlaient ! Ils se tordaient, crépitaient et dansaient dans les flammes.

Ce n'était pas une belle blonde américaine, future mère de trois enfants obéissants et bien bâtis, qui honoreraient leurs parents, défendraient leur patrie envers et contre tout, et respecteraient leur Dieu. Non, cette femme flambait de luxure ! ELLE m'avait entièrement déshabillé. Je gisais sur le lit et elle se balançait là-haut, au-dessus de moi, ses seins fermes et ronds aux mamelons roses se tendirent vers moi comme deux ballons d'albâtre, puis ils grossirent de plus en plus, jusqu'à ce que la magnifique peau blanche me jaillisse presque en pleine face.

Mes mains se posèrent sur son dos et je ressentis un choc d'énergie électrique entre le bout de mes doigts et sa peau. Mes doigts effleurèrent son corps jusqu'aux fesses puis remontèrent, voguèrent sur un coussin de pure énergie comme un hydroglisseur sur la mer. Le courant parti de mes mains gagna l'intérieur évidé de mon bras, puis ma colonne vertébrale où il surchargea les circuits et explosa tout le long de mon dos en milliers de flammes étincelantes, crépitantes et grésillantes.

Après avoir sauvagement dévoré ses seins, mes lèvres poursuivirent aveuglément leur route, mordirent son cou, son oreille, sa joue et finirent par trouver sa bouche. Tel un minuscule animal essayant de s'échapper de sa cage, ma langue fouilla avidement ses dents droites et serrées, plongea follement vers le bas pour retourner se tortiller hystériquement contre ses dents, et soudain, dans un incroyable contact, sa langue heurta la mienne, se darda, l'encercla, la pressa, la recouvrit...

Mes doigts descendirent et rencontrèrent la texture rêche d'un tissu, les jambes d'un pantalon, la fourche rigide et inflexible de l'épaisse couture de l'entrejambe. Je trouvai le devant du pantalon, faufilai mes doigts entre les surfaces plates de nos ventres collés, fouillai et finis par tomber sur l'agrafe. Elle souleva ses hanches. J'ouvris la fermeture éclair et fis doucement glisser le jeans le long de ses hanches et de ses jambes. Ses hanches rejoignirent ensuite les miennes, pressèrent fermement mon ventre et, d'un coup de pied, elle repoussa son pantalon. Mes doigts sentirent alors le doux tissu de son slip en coton, rampèrent sous l'élastique et roulèrent le tissu sur ses hanches et ses cuisses...

Le slip était parti. Nous étions nus, fermement serrés l'un contre l'autre, nos deux bouches fondues en une seule, nos jambes emmêlées, nos bras enlacés se touchant, se pressant, bougeant, bougeant...

La sueur recouvrait nos corps, notre souffle s'accélérait de plus en plus dans nos poumons et des gémissements aigus s'échappaient de nos lèvres, comme les sifflements électriques produits par un micro qui reçoit des sons trop intenses.

La source d'énergie était inépuisable.

Le temps n'existait plus.

L'univers entier n'était plus qu'une incessante, roulante et éternelle vague de mouvement.

Et les circuits sautèrent. Un million de court-circuits à la fois.

Je perdis conscience. Mon esprit venait de s'engloutir dans un nuage noir et houleux de gaz incolore et inodore qui m'assommait littéralement.

Lorsque je rouvris les yeux, elle était étendue près de moi sur le dos, la tête tournée vers moi, ses yeux bleus à demi fermés de sommeil fixés dans les miens. Son regard ne contenait plus aucun feu, à présent, seulement un éclat liquide.

— On a tiré un coup fantastique, mec, souffla Bang Bang. (Ses lèvres esquissèrent un lent sourire secret.) Fantastique !

Je hochai la tête, mais je refermai les yeux. Je restai dans un suaire d'obscurité pendant un bon moment, puis mes forces commencèrent à revenir. Je pouvais de nouveau sentir mes jambes et mes bras, et presque, enfin... très très faiblement, mon esprit rationnel.

Je n'étais peut-être pas mort après tout, même si normalement j'aurais dû l'être ; et au moins, je n'étais pas devenu fou.

Dans un effort de pure volonté, je me concentrai sur mes jambes. Je les balançai hors du lit et mes pieds tombèrent lourdement sur le sol. Puis je poussai mon corps vers le bord du plumard dans l'espoir de me hisser debout, d'appuyer mon poids sur mes pieds et de tenir en équilibre. Je parvins à me lever, et ce fut tout. Mes genoux plièrent comme du papier.

Je m'étalai par terre. Ma joue érafla un tapis encroûté de poussière qu'on n'avait jamais dû nettoyer, et mes narines aspirèrent un incroyable mélange d'odeurs que je n'avais encore jamais senti, et que je ne tenais pas à sentir. Je restai affalé, tachai de rassembler assez d'énergie pour tenter de me relever et fixai d'un regard vide l'obscur dessous du lit. Lorsque lentement, une autre vision se mit à émerger devant mes yeux.

Elle n'était pas belle, cette fois. Elle n'avait ni seins renflés ni hanches rondes. En fait, je ne lui voyais pas de corps du tout. Seulement un visage. Un horrible visage tordu de douleur, aux lèvres déchirées par les dents, et aux yeux figés, glacés, comme un gâteau, d'une couche d'indéniable effroi.

Ce masque, c'était l'ex-visage tout à fait mort du hippie connu sous le nom de La Taupe.

CHAPITRE VII

— Vu l'état de ce lit, c'est sûrement là qu'il est mort, fit le sergent Brown en secouant la tête devant l'amas de couvertures froissées. Il y a eu une bagarre, c'est certain.

— Je ne pense pas, répondis-je vivement. La personne qui dormait là a peut-être simplement fait un cauchemar, ou un beau rêve. Il a dû mourir SOUS le lit, ajoutai-je éperdument. Regardez comme il est replié sur ses genoux. Et la façon dont les doigts de ses deux mains sont enfoncés dans le tapis.

Le sergent hocha la tête en me fixant d'un air soupçonneux :

— Vous avez vraiment le don de découvrir des cadavres de hippies partout. Ce ne serait pas un honnête avocat comme vous qui leur fournirait la came, par hasard ?

— Cette question est si stupide que je n'y répondrai même pas, aboyai-je. D'abord, il est évident que ce type ne se piquait pas. Il prenait de la marijuana et du LSD, bien sûr, mais il ne touchait pas aux drogues dures. Regardez son bras, et ne me dites pas que lui aussi, c'était la première fois. La foudre peut frapper deux fois, mais je suis persuadé qu'il ne s'agit pas d'une coïncidence.

Le sergent hocha lentement la tête sur son cou épais, mais autrement il ne bougea pas d'un pouce. Il m'observait tout simplement, comme si j'étais une sorte de perturbateur et qu'il se demandait quoi faire de moi.

— Ce n'est peut-être pas une coïncidence, dit-il, mais il faut me le prouver. Bien sûr, quelqu'un a pu lui enfoncer l'aiguille dans le bras pendant son sommeil. Il s'est réveillé sur un petit nuage, et puis il est retombé violemment sur la terre. Ça a pu se passer comme ça, bien sûr.

— Quelqu'un a injecté des doses mortelles d'héroïne à La Taupe, à Cerf Bondissant et à Fraise-à-Cheval, déclarai-je nettement. J'en suis absolument convaincu. Et si vous ne voyez pas les choses comme ça, c'est peut-être parce que vous ne le VOULEZ pas.

— Possible. Sortons maintenant, mes hommes peuvent nettoyer la pièce.

Il me prit par le bras et me poussa vers la porte. Nous avions atteint le living-room avant que j'aie pu dégager mon bras et me tourner vers lui.

— Qu'est-ce que ça signifie ? Vous voulez étouffer l'affaire ou quoi ? Je vous préviens, sergent, cette fois, vous ne vous en tirerez pas en prétendant que c'était un accident.

Il haussa les épaules et me décocha un sourire diabolique qui me glaça le sang dans les veines.

— Il n'y a personne dans cette maison qui ne se drogue pas d'une façon ou d'une autre, d'accord ? C'est un fait, et je peux le prouver. Nous avons déjà trouvé des masses de marijuana. Et cette fois, vous ne vous en tirerez pas en prétendant qu'on l'a inventé.

— Alors vous allez encore arrêter tout le monde ?

— Et comment. Tous ceux que nous pourrons trouver. On dirait qu'il y en a déjà deux qui ont filé, pas vrai ?

— Ils sont partis pendant que je vous téléphonais, reconnus-je.

— Bien. Il y avait Charles Holloway, et qui d'autre ?

— Les autres l'appellent Sauron. C'est leur chef. Je ne connais pas son vrai nom.

— Ah oui, c'est vrai. Edward Landall. Il a un casier judiciaire, vous savez. Nous avons vérifié la dernière fois. Des arrestations pour détention de drogue, comme aujourd'hui.

— Parfait, sergent, grondai-je. J'ai compris. Vous allez coffrer ces jeunes pour possession de marijuana, mais vous allez oublier cette histoire de meurtres. Pour vous, ce sont tous des sales petits camés, et vous vous moquez bien qu'ils se fassent buter. C'est même tout ce qui vous intéresse, n'est-ce pas ?

Il haussa les épaules.

— La drogue m'intéresse aussi, monsieur Roberts. Comme je vous l'ai dit, nous n'avons pas trouvé d'héroïne ici. Et pourtant, elle est bien quelque part, et je veux découvrir où.

— J'espère que ça reviendra à découvrir l'assassin. Sinon, je trouverai moyen de m'assurer personnellement qu'on vous talonne jusqu'à ce que le coupable soit arrêté.

— Parfait, Roberts. Continuez à user votre salive, et utilisez toutes vos grosses relations si ça vous chante, mais je m'occuperai de cette affaire à ma façon, pas à la vôtre. Et je vais vous dire comment je vois les choses : ces types ont été tués par l'héroïne. Voilà le coupable, et voilà ce que je cherche. Et je n'ai pas besoin de votre aide. Je vous conseille de rester en dehors de tout ça.

Il me fusilla de son dur regard gris et balança lentement le poids de son corps massif d'une jambe sur l'autre.

— Entendu, sergent, je suivrai cet avis, acquiesçai-je affablement. Seulement, pendant que vous chercherez cette drogue, faites attention que quelqu'un ne vienne pas vous enfoncer une aiguille dans le cul, par-derrière.

Il ne sourit même pas. Inutile de perdre mon temps à essayer de raisonner un type qui avait sa propre idée de la justice, et aucun sens de l'humour. Mieux valait m'occuper de mon boulot.

— Avant que vous embarquiez les gosses, j'aimerais leur parler en privé. Si vous ne craignez pas que je leur glisse une dose mortelle de came, bien entendu.

— Rassurez-vous, je n'ai pas la moindre crainte. Vous serez déshabillés et fouillés, un par un, avant d'avoir mis le pied hors d'ici. Alors si vous ou les autres avez des choses à cacher, vous feriez mieux de commencer à vous inquiéter dès maintenant.

Jésus-Christ fixait le plafond ; il était dans son état catatonique habituel. Il semblait attendre patiemment que ce monde insensé retrouve la raison et remarque enfin qu'IL était arrivé. Ce n'était pas seulement sa perpétuelle absorption de drogues qui le rendait dans cet état. Son esprit était réellement ailleurs, tellement haut qu'il ne redescendrait plus jamais sur terre.

Les autres étaient terriblement inquiets. Ils ne formaient plus une solide unité, un front contre la société des caves. Le meurtre de La Taupe et la désertion de Sauron avaient brisé leur cohésion imaginaire. Il ne restait plus à présent que cinq mômes effrayés, et une version farfelue du Christ qui était en dehors du coup de toute façon.

Bang Bang elle-même me regardait comme si je pouvais tenir lieu de substitut paternel acceptable, et leur sauver la vie, sinon la raison. Ses longs cheveux blonds pendaient en tresses emmêlées et ses innocents yeux bleus plongeaient dans les miens, comme ceux d'une vierge implorante qui vous conjure de la bien traiter. Je lui souris d'un air encourageant et fis de mon mieux pour les englober tous dans mon sourire.

Calvin était assise en tailleur sur le plancher de la chambre. Il n'y avait pas d'autre endroit où s'asseoir, d'ailleurs, à part un matelas nu ; mais un seul coup d'œil à sa surface tachée et poussiéreuse décourageait les éventuels amateurs. La rouquine à l'esprit métaphysique et au corps virginal ne se souciait pas vraiment de l'endroit où elle reposait, de toute manière. Son chef spirituel l'avait abandonnée et elle était toute occupée à décider quelle altitude adopter à présent.

— Hé mec, qu'est-ce qu'ils vont faire de nous ? demanda nerveusement le grand Okeefenokee au visage couvert de boutons.

— D'abord, ils vont vous arrêter pour détention de marijuana, répondis-je. Ensuite, qui sait ?

— C'est pour de bon, cette fois ? Enfin... ils ne nous laisseront pas facilement repartir ?

— A votre place, je ne m'inquiéterais pas trop. (Je leur adressai un sourire rassurant.) Vous avez un bon avocat.

— Vous allez plaider pour nous ? s'enquit Siège-Arrière. (Elle plissa les lèvres d'un air railleur.) Vous savez, on n'a pas les moyens de se payer un avocat aussi cher que vous.

— Ouais, on n'a pas de blé, geignit Squaw Blanche. C'est Sauron qui garde tout.

— Calvin a déjà payé mes honoraires, dis-je avec franchise. Et elle m'a déjà expliqué que pour l'aider, elle, je devais vous aider tous. Alors votre défense est assurée.

— Génial, mec, chuchota Okeefenokee.

— Vous allez pouvoir nous faire sortir ? interrogea Bang Bang. Tout de suite ?

Je secouai la tête.

— Dans deux ou trois jours, le temps que j'arrange une caution. Mais pour le moment, je pense que vous serez mieux dans une cellule, avec trois repas par jour et les privilèges afférents.

— Quelle bonne idée, l'Avocat, siffla Siège-Arrière. Et puis, ça nous donnera une leçon de passer un moment en taule, hein ?

Ses yeux tachetés de vert me regardèrent d'un air sarcastique tandis qu'elle s'adossait contre le mur. Une de ses hanches faisait une magnifique saillie contre le tissu moulant de son jeans en loques. Son ventre plat et bronzé était nu sous une chemise nouée, qui contenait à peine ses seins pleins et attachés merveilleusement haut. Elle ne portait pas de soutien-gorge, seulement une chemise vert foncé sans manches et à l'encolure déboutonnée.

Je la trouvais beaucoup plus excitante que Bang Bang, du moins maintenant que j'étais redescendu de mes sommets et redevenu peut-être un peu plus tâtillon. Mais ce n'était pas son air de défi qui m'intéressait tellement pour l'instant, je devais le reconnaître, c'était son corps.

— Je pensais que vous seriez davantage en sécurité en prison, expliquai-je dignement. Personne ne sait quel sera le prochain assassiné.

Calvin leva sur moi des yeux peinés.

— Vous croyez que l'un de nous... s'étrangla-t-elle.

— Ça dépend de la raison pour laquelle La Taupe, Cerf Bondissant et Fraise-à-Cheval se sont fait tuer, répondis-je calmement. Je n'en sais rien encore, mais je ne pense pas que ce soit pour votre argent. Alors je ne peux pas prévoir exactement ce qui risque d'arriver. Si vous êtes en prison, je n'aurai pas à me tracasser. Et vous aurez tout loisir de réfléchir à quelques petites choses. Ce que vous ferez quand tout ça sera terminé, par exemple.

— On est avec vous, l'Avocat, sourit Siège-Arrière d'un air encourageant. Montrez-nous la voie.

Je décidai qu'il était temps de les remettre aux mains du sergent Brown, puis de m'occuper de chercher la preuve de ces meurtres. J'ouvris la porte et je les conduisis dans le couloir. Siège-Arrière fut la dernière à sortir. Elle s'arrêta près de moi et leva vers les miens des yeux verts et sérieux qui ne paraissaient plus aussi insouciants.

— Vous savez, je crois que tout ça a un rapport avec les drogues que Sauron et Golem vendaient, fit-elle gravement. Je le crois vraiment. La Taupe et Cerf Bondissant faisaient toujours des commissions pour eux... Ils vendaient de l'herbe, ils transmettaient des ordres et tout...

— Savez-vous si Cerf Bondissant ou La Taupe ont eu un jour des drogues dures entre les mains ?

Elle secoua la tête.

— Non, je ne les ai toujours vus qu'avec de l'herbe ou du LSD. Mais peut-être... Ecoutez, nous pensions être un groupe vraiment uni de gens branchés sur la même chose. Mais maintenant, on dirait que la plupart d'entre nous n'étaient pas branchés sur ce qui se passait réellement. Alors on ignorait peut-être ce qu'ils vendaient au juste.

— Comment auraient-ils pu trafiquer secrètement ? demandai-je d'un ton dubitatif.

Elle haussa les épaules et sourit d'un air songeur.

— On ne croyait peut-être que ce que l'on voulait croire. Et de toute manière, ils n'apportaient jamais la drogue qu'ils vendaient dans notre camp. Alors on ne savait pas vraiment ce qui se passait à l'extérieur.

— Merci pour la suggestion, dis-je avec reconnaissance.

— Au revoir, l'Avocat. Je vous verrai en prison.

Elle rejoignit les autres dans le couloir et je les accompagnai jusqu'au panier à salade.

Siège-Arrière agita gaiement sa main par la vitre, tandis que la camionnette démarrait. Le sergent Brown ne prit pas la peine de brancher la sirène. A Forestville, il n'y avait pas tellement de circulation.

Je ne connaissais qu'un endroit où entamer ma recherche des deux hippies disparus : la maison des Holloway, et j'en pris le chemin. Je garai mon Austin Healey dans l'allée carrossable, derrière une Buick bleu marine, assez chromée et clinquante pour appartenir à un type bourré de pognon, ou qui voulait que tout le monde le croie.

Ronda m'ouvrit la porte. Son joli visage rond semblait fripé et anxieux. Ses yeux sombres luisaient d'inquiétude et je ne pris même pas le temps d'accorder à sa mince silhouette, moulée dans une mini-robe jaune, le genre d'attention qu'elle méritait.

— Il est arrivé quelque chose ? demandai-je. Vous avez des nouvelles de votre frère Charles ?

— Je ne sais pas ce qui se passe, chuchota-t-elle les sourcils froncés, en jetant un coup d'œil par-dessus son épaule, mais papa et maman ont eu une dispute absolument terrible. C'était à propos de Charles... et de drogue ! Je n'ai pas bien compris de quoi il s'agissait. Je n'entendais que quelques mots par-ci par-là, mais à la fin, ils braillaient littéralement.

— Où sont-ils maintenant ?

— Maman est dans sa chambre. Elle s'est enfermée. Papa est dans son bureau avec quelqu'un. Un certain M. Matthews.

— Qui est-ce ?

— Je ne sais pas... Un homme d'affaires de San Francisco, avec qui papa travaille. Généralement, c'est papa qui va le voir. Ce n'est que la deuxième fois qu'il vient ici.

— Osera-t-on les interrompre ? demandai-je d'un ton de conspirateur.

— Je n'en sais rien, répondit-elle sérieusement d'une voix étouffée. Papa est vraiment de mauvaise humeur...

— Je risque le coup, fis-je vivement. Il est important que je retrouve votre frère le plus vite possible.

— Ah ? Qu'est-ce qui se passe ? Des problèmes ?

— Je vous raconterai ça plus tard. Où se trouve le bureau.

A contrecœur, elle me montra la porte. Une seconde après avoir frappé, j'ouvris à toute volée et vis Holloway me fusiller du regard, le visage cramoisi et la bouche ouverte d'exaspération. Un homme en complet sombre, d'environ cinquante ans, se tenait près de lui.

— Qu'est-ce que vous voulez ? postillonna Holloway. Nous avons une discussion privée, alors si vous...

— Je cherche votre fils Charles, monsieur Holloway, coupai-je. C'est important. J'ai pensé que vous aviez peut-être de ses nouvelles ?

— Non. Bien sûr que non. Et pourquoi est-il si important que vous le retrouviez ?

Je fermai la porte d'un coup de coude et m'avançai vers les deux hommes.

— Je vais entrer vous l'expliquer, dis-je tranquillement. Je suis désolé de vous interrompre, vous et... M. Matthews ?

C'était une question et j'attendis la réponse.

L'homme au teint basané, vêtu d'un complet sombre, m'adressa un large sourire. Sa bonne humeur flagrante était presque enfantine, et charmante en tout cas. Sa façon de parler, calme et confiante, et son maintien décontracté ne faisaient qu'augmenter l'attrait de son attitude faussement amicale.

— Comment allez-vous, monsieur Roberts ? me demanda-t-il poliment. Nous ne nous sommes pas vus depuis... voyons... quatre ans maintenant. Vous prépariez votre dernière année de droit, si j'ai bonne mémoire.

— C'est exact, et vous étiez jugé pour proxénétisme, répliquai-je du même ton. Je connaissais le procureur, et je vous ai rencontré au tribunal.

— Excellente mémoire, fit-il aimablement. Mais je crains que l'occasion ait été fâcheusement désavantageuse pour une telle rencontre. Il est toujours bon de compter un avocat brillant et plein d'avenir parmi ses amis, n'est-ce pas ?

— Vous n'escroquez pas encore assez de pognon pour payer mes services, Carlotti.

— Voyons, monsieur Roberts ! fit-il doucement, en claquant de la langue comme si j'étais un gosse qui se serait montré involontairement grossier. Vous ne me jugez pas, j'espère ? Le jury s'en est déjà chargé, et il m'a déclaré innocent. Vous ne le saviez pas ? Il s'agissait d'une circonstance réellement regrettable dans une vie autrement irréprochable. Seulement vous comprenez, quelqu'un qui avait un grief contre moi a essayé de me causer les pires dommages personnels, par malveillance. Par pure malveillance ! Heureusement, les honnêtes gens du jury ont tout de suite vu qu'il mentait à propos de mes activités. Et naturellement, personne, avant ou depuis, ne m'a jamais accusé d'écarts de conduite.

— Pas devant vous, peut-être. Parce qu'ils n'ont pas trouvé que la vérité valait le coup de risquer leur peau. Ils auraient pu, par exemple, suivre le même chemin que le type qui a témoigné contre vous au procès. Si je me rappelle bien les détails, on l'a repêché dans le port, un an après, avec trois balles dans l'aine et le bras gauche arraché.

Carlotti, alias Matthews, sourit et haussa les épaules pour bien me montrer que j'étais idiot, mais qu'il aurait du mal à me le faire comprendre. Il me laissait garder mes idées absurdes et il ne s'en soucierait plus.

— Cet homme était associé avec pas mal de tristes individus, des gens du milieu qui tuent facilement pour des centaines de raisons différentes. Pourquoi aurais-je fait une chose pareille ? J'étais innocent, on l'avait prouvé, et il n'avait plus aucune importance pour moi. (Il me sourit joyeusement et tira un cigare de la poche intérieure de sa veste. Il m'en offrit un mais je secouai la tête. Il ôta l'enveloppe du sien et l'alluma, sans cesser de me fixer d'un regard amusé.) En tout cas, monsieur Roberts, vous ne pouvez me reprocher le bras gauche. C'est un requin qui l'a dévoré.

Durant toute la conversation, Holloway m'avait observé nerveusement. Il venait de sortir une cigarette et je remarquai que sa main tremblait pendant qu'il l'allumait. Lorsque je me tournai brusquement vers lui, il faillit avaler le filtre.

— Et vous, qu'avez-vous à voir avec ce minable truand ? grondai-je. Vous avez placé de l'argent dans sa chaîne de bordels ? Ou vous passez des arrangements amicaux au sujet de votre fille ?

— Comment osez-vous dire de telles horreurs ? hurla-t-il. Ma fille restera vierge jusqu'au jour de son mariage, j'y veillerai. Et vous pouvez quitter immédiatement cette maison avec vos ignobles suggestions !

— Votre fille est vierge, et vous êtes un honnête homme d'affaires, ricanai-je. Vous ne voudriez pas non plus me faire gober que Charles est un agent secret de la brigade des stupéfiants ?

— Je sais ce que vous pensez, monsieur Roberts, interrompit Carlotti d'une voix douce et raisonnable. (Il cessa même de tirer sur son cigare.) Parce que je connais M. Holloway, vous le soupçonnez immédiatement d'être mêlé à des activités criminelles. C'est toujours la même chose avec les citoyens soi-disant honnêtes. Ils vous jugent si facilement. Mais même un homme comme moi, bien que je ne sois pas le sale individu que vous croyez, doit avoir des amis ! M. Holloway est un ami très cher, une des rares personnes qui ne me jugent pas parce que certains, à une époque, ont trouvé utile de me calomnier. C'est un plaisir de le connaître, et en reconnaissance de son amitié, je l'ai aidé dans quelques entreprises financières, toutes parfaitement légitimes, je vous assure. Alors, de grâce, ne le traitez pas de malfaiteur simplement parce qu'il me fréquente.

— Je prendrais peut-être sérieusement votre histoire d'amitié désintéressée entre un gangster solitaire et un homme d'affaires compréhensif qui touche des revenus louches, si j'étais stupide. (Je leur adressai mon meilleur sourire en coin à la Humphrey Bogart, ça me paraissait convenir à la situation, et Carlotti me renvoya aussi sec son rictus à la Edward G. Robinson.) Mais ce qui m'empêche d'avaler cette salade, c'est que vous êtes le type même du malfrat de naissance, et vos super-cigares à cinq dollars pièce ne me feront pas changer d'avis. Quant à Holloway, il est tellement imbu de ses propres opinions, tellement sectaire et soucieux des apparences extérieures de respectabilité, que rien au monde ne pourrait lui faire choisir la compagnie d'un escroc dans des circonstances normales.

Carlotti leva son cigare en signe de découragement, et Holloway écrasa furieusement sa cigarette dans un cendrier en cristal.

— Alors, selon vous, nous sommes coupables... de quoi ? demanda Carlotti.

— Quand j'aurai retrouvé le fils d'Holloway, je le saurai peut-être, répondis-je en me demandant si l'homme au visage cramoisi allait perdre suffisamment contenance pour lâcher quelque chose d'intéressant. En attendant, la séance est levée, Carlotti.

Je me dirigeai vers la porte. Mieux valait que je parte, à présent. Avec un type comme Carlotti, il fallait abattre ses cartes très vite, ou bien se retirer du jeu. Au moment de franchir la porte, je lançai un coup d'œil vers Holloway. Il se tenait près du gangster souriant et décontracté, et il me foudroyait du regard, les poings serrés.

— Il y a autre chose qui devrait vous préoccuper, Holloway, à part ce que je risque de découvrir, fis-je en m'éloignant. Comment pouvez-vous être certain que votre fille est toujours vierge ? Je parie que vous n'avez pas vérifié depuis son troisième anniversaire !

— Sortez, espèce d'immonde salaud ! hurla-t-il.

Je repassai ma tête par la porte.

— Mais ne vous inquiétez pas. Je l'examinerai pour vous et je vous raconterai.

L'émotion lui brisa le visage, comme une maison en feu qui s'écroule, et il se précipita vers moi. Je fermai la porte, empruntai tranquillement le couloir, puis le living-room, et enfin la sortie. Il ne m'avait pas poursuivi. Comme je m'y attendais, Carlotti avait dû le retenir d'une main apaisante.

Ronda ne se trouvait pas dans les parages, mais ce n'était pas le moment de la chercher. Je marchai vers mon Austin Healey, dont la brillante carrosserie rouge-sang étincelait sensuellement sous le soleil qui baignait l'allée carrossable.

Au bout de l'allée, garée sur le trottoir d'en face, j'avisai une Chevrolet poussiéreuse qui datait d'au moins dix ans. Elle me parut incongrue dans ce voisinage. Elle se trouvait à environ trois cents mètres de l'entrée de la maison la plus proche, mais juste en face de celle des Holloway. Je la contemplai songeusement pendant un moment, puis un très faible écho de voix parvint à ma conscience. Je n'aurais probablement rien remarqué si je ne m'étais pas arrêté près du garage pour regarder la Chevrolet.

Deux personnes au moins tenaient une petite conférence derrière la porte fermée du garage, mais le temps que je vienne coller mon oreille contre la cloison, la conversation avait cessé. J'attendis quelques minutes, mais personne ne prononça un mot. J'étais en train de me demander si j'allais oublier ça ou tâcher de contourner le garage pour trouver une fenêtre, quand j'entendis la Chevrolet démarrer de l'autre côté de la rue.

Je me retournai, à temps pour la voir filer à une allure qui aurait fait transpirer et palpiter tout amateur de courses automobiles. Le chauffeur était couché sur le volant, mais je n'eus pas besoin de voir son visage. Ces longues mèches graisseuses le désignaient d'elles-mêmes.

Charles Holloway était rentré à la maison, finalement.

CHAPITRE VIII

Je ne doutai pas un instant qu'une Austin Healey en aussi parfait état que la mienne pourrait rattraper facilement une Chevrolet, même avec un moteur gonflé. Et avec un chauffeur comme moi au volant, Golem n'avait pas une chance.

Je le gardai en vue jusqu'à Forestville, puis je le perdis dans la circulation matinale à cause d'une femme qui se mit en travers de la rue, devant moi, pour se garer dans un virage. Il lui fallut une douzaine de manœuvres pour tenter d'introduire sa grosse Buick dans un espace bon pour une VW. J'allais lui proposer de ranger moi-même sa bagnole lorsqu'elle finit par y arriver.

L'heure du déjeuner approchait et je décidai de me consoler d'avoir perdu l'unique chance d'affronter seul Charles Holloway en avalant mon premier repas depuis mon dernier déjeuner.

Je sortais tranquillement de la salle à manger de l'hôtel, une demi-heure après, quand je vis Harry-Le-Singe traverser le vestibule.

Il était habillé, cette fois, d'un caftan indien qui lui tombait aux chevilles, et qui était orné d'un motif tourbillonnant noir, rouge et marron, représentant peut-être des comètes en rotation dans l'espace ? Dans le soleil, le tissu était transparent, et il ne portait sous le caftan qu'un slip violet. A la lumière, l'épaisse toison de poils bruns qui lui recouvrait entièrement le corps ressemblait, sous le tissu en coton, à un manteau de léopard.

— Ici, Harry, criai-je.

Le grand singe obéissant se retourna et me sourit.

— Randall Roberts, fit-il. L'avocat.

— Ta conscience te travaille encore ? suggérai-je. Ou tu viens me demander un divorce ?

Il s'avança lourdement vers moi en balançant les bras comme s'il se déplaçait sur une liane invisible, et approcha son gros visage osseux et poilu du mien.

— J'ai une piste, me chuchota-t-il à l'oreille.

— Pour Fraise-à-Cheval ?

— Et pour deux autres, si ce que j'ai entendu raconter est vrai. Il y a bien deux mecs appelés Cerf Bondissant et La Taupe qui ont fait aussi le grand plongeon ?

— Oui. Qu'as-tu découvert ? demandai-je, le prenant soudain au sérieux.

— On va prendre ta bagnole, elle est plus rapide que la mienne. Je te dirai ça en chemin.

Je hochai la tête et nous traversâmes le vestibule. Six personnes y flânaient, mais seulement cinq d'entre elles s'arrêtèrent net pour nous dévisager. L'autre lisait un journal.

Je ne dépassai la vitesse limite qu'après le commissariat. Pour le moment, je ne tenais pas à contrarier le sergent Brown, ni même à attirer sa curiosité.

— Tu connais un fou appelé Jésus-Christ ? interrogea Harry en se tortillant, mal à l'aise, sur le siège voisin.

— Oui. Il est bouclé au violon qu'on vient de passer. Où allons-nous ?

J'appuyai sur l'accélérateur, un tantinet.

— Tout droit sur la route principale. Je te dirai quand il faudra tourner. (Harry agita encore son gros arrière-train, puis posa sur moi un regard calme et sûr.) Il n'est pas en taule. Il nous attend dans les bois, au nord.

— Mais il a été arrêté avec les autres pour détention de marijuana, protestai-je.

— Ouais, je sais. Il m'a raconté toute l'histoire, enfin, il l'a écrite, et il a brûlé chaque feuille à mesure que je lisais. Il a sauté du panier à salade dans un virage et il est venu chez moi. Les flics ont dû penser que ça valait pas le coup de le poursuivre, je suppose. Ce qui est curieux, c'est que d'habitude, J.-C. prend toujours les choses avec fatalisme, comme si elles devaient arriver de toute façon, tu vois ce que je veux dire ?

— Qu'est-ce qui s'est passé, cette fois ? Il est devenu fou ?

— Plaisante pas, mec, c'est sérieux. J.-C. m'a dit qu'il avait tout compris. Il sait d'où vient l'héroïne, qui a tué les mecs, et où se planque l'assassin.

— Et pourquoi te l'a-t-il dit ?

— Parce qu'il voulait que je devienne un disciple.

— Un disc... ? Il voulait que tu le soutiennes, c'est ça ?

— Pas exactement. Tu saisis pas les trucs de l'âme, mec. J.-C. allait partir à la recherche de ces deux types, Sauron et Golem, je les connais que de vue, moi, et il voulait que je l'accompagne. Que je le suive, quoi. Il allait les sauver et il voulait que je sois témoin de l'événement. D'après lui, ils se confesseraient et lui, il les délivrerait. Tu piges maintenant ?

J'opinai tristement du bonnet.

— Le rêve et la réalité ont fini par se mélanger et il a décidé d'arranger ça à sa façon.

— C'est son histoire, mec.

C'était son histoire, oui, mais pas la mienne.

— Pourquoi est-il venu te voir, toi ? demandai-je.

— Il m'avait repéré dans le coin. Et, je ne sais pas, il a dû me trouver spirituellement au bon niveau, ou quelque chose comme ça.

— Il a peut-être entendu tous ces cris sortir de chez toi et il les a pris pour des Voix Célestes ?

Harry fronça les sourcils. Je commençais à trouver qu'il prenait son rôle de disciple très au sérieux.

— Il savait peut-être seulement que j'étais balaise, et ça le rassurait que je vienne avec lui.

— Où est-il maintenant ?

— Là où on va.

— Sauron et Golem s'y trouvent aussi ?

— C'est ce qu'il prétend. Je lui ai dit qu'on avait besoin d'un autre disciple, que je ne suffisais pas pour assister au miracle. Au début, l'idée ne lui plaisait pas, mais je lui ai sorti que je connaissais un grand pécheur qui pigerait vraiment la scène, alors il m'a laissé partir. Je l'ai quitté dans les bois, assis sur un gros rocher. Il m'a dit qu'il ne bougerait pas jusqu'à mon retour. J'ai foncé te chercher.

— Le trajet dure combien de temps ?

— Dix minutes.

— Ça fait environ une demi-heure... c'est dur de rester aussi longtemps assis au même endroit, même pour Jésus-Christ. J'espère qu'il ne s'est pas lassé.

Harry se tortilla encore sur son siège. Pour la première fois, je compris à quel point il était nerveux. Je me concentrai sur les virages de la route.

— Ah ! voilà le rocher, fit-il. Merde, il est parti ! Apparemment, il y a une maison à environ deux cents mètres, au bout de ce sentier.

Il indiqua du doigt deux ornières de pneus qui s'insinuaient entre les pins.

— D'accord, dis-je. Allons-y. Vite.

Je courus à mon Healey et sortis mon calibre 38

de l'étui, sous le siège avant. Puis nous nous glissâmes entre les broussailles.

C'était une maison en bois à étage, cernée par les arbres : elle avait dû servir de luxueuse retraite estivale trente ou quarante ans auparavant. A présent, elle tombait en ruines. On distinguait quelques trous dans le toit et des signes de moisissure à la base des murs. Mais pour quelqu'un qui avait besoin de se planquer, c'était l'endroit idéal.

Et il semblait bien que quelqu'un ait eu ce besoin pendant un bon bout de temps. L'allée carrossable était semée de larges taches de graisse, près de l'entrée.

La porte n'était pas verrouillée. Les gonds ne grognèrent pas et nous pénétrâmes à l'intérieur dans un parfait silence.

Aucune lumière ne brillait, et toutes les fenêtres étaient bouchées. Nous baignions dans des ténèbres épaisses.

L'entrée était déserte. Il y avait un plancher nu, aucun meuble, et des murs de bois blanc qui paraissaient en pellicules, tant il y avait d'écailles de peinture blanche accumulées en frange autour de la pièce.

Quelque part, au loin, quelqu'un sanglotait.

Je regardai Harry, qui me regardait déjà, et nous nous mîmes de concert à suivre un long couloir ; on traversa quelques pièces sombres et silencieuses.

Les sanglots augmentaient d'intensité.

Nous arrivâmes devant une porte fermée. Je

tournai la poignée. La porte n'était pas fermée et je la poussai lentement. J'eus l'impression de soulever le couvercle d'un cercueil, avec un cadavre soupirant à l'intérieur.

Les sanglots s'amplifièrent encore. Il y avait une fille dans la pièce. Elle ne pleurait pas vraiment. Elle émettait un gémissement rauque, inquiétant et macabre.

L'endroit étant encore plus sombre que le reste de la maison, Harry et moi restâmes sur le pas de la porte ouverte. Si quelqu'un se trouvait à l'intérieur avec un revolver, il ne me restait plus qu'à espérer qu'il soit mauvais tireur, ou qu'il ait énormément de respect pour les avocats. Je fis glisser mon 38 dans la paume de ma main repliée, et je le dissimulai contre ma cuisse droite.

Je laissai la porte ouverte derrière nous et Harry et moi avançâmes de quelques pas de côté. Il faisait noir, mais une fois que nos yeux se furent accoutumés à l'obscurité, nous distinguâmes tout de même la forme générale de la pièce. L'air vicié sentait le bois moisi.

Les sanglots provenaient de l'autre bout de la pièce, où une jeune fille brune, en court manteau vert clair et bas imprimés, était assise par terre, repliée sur elle-même. Courbée en avant, elle balançait ses genoux, la tête enfouie dans ses mains. C'était Ronda Holloway.

J'examinai attentivement les lieux, mais il n'y avait personne d'autre.

— On dirait le lieu de réunion d'une assemblée

de sorcières, souffla Harry près de moi, en embrassant d'un coup d'œil les trois murs drapés de rideaux noirs du plafond au plancher, afin que le moindre rayon de lumière ne puisse pas pénétrer dans la pièce.

— Qui est là ? hurla Ronda, en pivotant sur ses genoux.

Elle nous fixa, les yeux dilatés par la panique, pendant quelques secondes, avant de me reconnaître.

— Randy ! cria-t-elle, et elle fondit en larmes.

Je m'approchai d'elle, me penchai et lui passai un bras autour des épaules. Elle tremblait de la tête aux pieds.

— Eh ben ! mon chou, fit légèrement Harry en se pointant aussi. Qu'est-ce qui te terrorise comme ça ? T'as vu Dracula ou quoi ?

Elle leva vers lui des yeux ruisselants de larmes et l'espace d'une seconde, je craignis que la vision d'Harry, penché au-dessus d'elle comme un anthropoïde plein de curiosité, la rende tout à fait hystérique. Mais bizarrement, sa voix rugueuse et ses gros yeux sombres et amusés parurent la rassurer. Elle cessa de pleurer et finit par maîtriser sa voix.

— Il y a... Il y a quelqu'un derrière le rideau.

Je me retournai et observai la surface onduleuse de tissu noir qui couvrait le mur devant lequel elle se trouvait. Je ne vis aucune bosse.

— Où ça ?

— Oh ! ne regardez pas ! dit-elle d'une voix effrayée. Il faut appeler la police.

Je tendis la main et tirai d'un coup sec le rideau. Il se déchira sur la tringle, fixée au plafond à environ soixante centimètres du mur. Je continuai à tirer et obtins un trou assez grand pour révéler l'objet des lamentations de Ronda.

Jésus-Christopher était accroché au mur, les bras en croix et les paumes percées de deux grands clous. L'auteur de cette œuvre avait mal lu sa Bible : deux clous lui trouaient aussi les jambes, un dans chaque cheville, et il ne portait pas de blessure au flanc. A la place, il avait le crâne défoncé.

Ronda se détourna, mais elle ne se remit pas à pleurer.

— Que s'est-il passé ? demandai-je d'une voix dure et déterminée en m'agenouillant encore près d'elle.

— Je... Je... (Sa voix se brisa et elle faillit craquer. Je l'étreignis fortement et elle se maîtrisa.) Je suis venue ici chercher Charles. Maman m'avait dit que je risquais de l'y trouver. Mais la maison était vide. J'ai appelé, appelé, et puis j'ai entendu un gémissement. J'ai cru que c'était un animal blessé, alors je suis sortie, j'ai regardé tout autour de la maison, et puis je suis revenue à l'intérieur, mais j'ai continué à entendre le gémissement. Et... je l'ai trouvé.

Elle allait tourner la tête et regarder, mais je l'arrêtai. J'examinai l'expression figée du beau visage barbu. Il y avait une ombre de douleur dans ses yeux ouverts, mais les coins de sa bouche étaient relevés, comme s'il souriait. Aucun signe de surprise ou de colère. Mais c'était quand même le visage d'un mort.

— Il ne gémira plus, déclarai-je calmement.

Debout près de moi, Harry fixait J.-C. avec une expression d'angoisse qui labourait son visage laid et brutal.

— Ils l'ont crucifié, geignit-il. Et il voulait les sauver.

— Puisqu'il ne pouvait pas les sauver, dis-je, il a dû être aussi heureux que ça finisse comme ça.

— Ouais, grimaça Harry. Seulement maintenant, va falloir qu'on les chope.

— Randy, vous ne pensez pas que mon frère... vous ne pensez pas que Charles...

— Charles vend de l'héroïne, annonçai-je sèchement.

Elle frissonna et fit un léger mouvement pour se libérer de moi.

— Comment votre mère connaissait-elle cette maison ? demandai-je.

— Je... je ne sais pas. Mais ce matin, je l'ai trouvée en larmes dans sa chambre. Elle était terriblement bouleversée mais elle ne voulait rien me dire. Je l'ai harcelée jusqu'à ce qu'elle me parle. Elle m'a raconté qu'elle s'inquiétait à cause de Charles, qu'il était mêlé à une très sale histoire, et que ça avait rapport avec cette vieille maison. Elle n'a pas voulu me dire où c'était, mais elle me l'a décrite et je m'en suis souvenue. Charles avait l'habitude d'y aller avec une bande de copains, quand il était au lycée.

— Pourquoi êtes-vous venue ici ?

— Je voulais le retrouver. Je voulais savoir ce qui se passait. Je voulais lui dire que maman... Oh ! Randy, c'est donc vrai ? C'est un trafiquant de drogue ?

— Pire que ça, répondis-je rudement. C'est aussi un assassin. Jésus-Christ ne s'est pas crucifié tout seul.

— Mais quelqu'un d'autre a pu le tuer, lança éperdument Ronda.

— Possible. Mais Charles était obligatoirement dans le coup.

— Qu'est-ce qui vous fait penser ça ? demanda Charles Holloway, d'un ton sarcastique.

Je levai les yeux. Il se tenait près du mur de droite, un pistolet à la main. Il venait de sortir de derrière le rideau.

— C'est la seule solution, expliquai-je tranquillement, tandis que Ronda et Harry le contemplaient bouche bée. Vous avez tué La Taupe, Cerf Bondissant, et Fraise-à-Cheval aussi. Je suppose que vous tentiez de vous protéger. Ils vous servaient de revendeurs. Vous obtenez la drogue d'un gros fournisseur, probablement celui qui l'introduit dans le pays, et vous la repassez à des revendeurs dans cette partie de la région. Mais pas un seul des camés ne vous connaît. Les trois types que vous avez liquidés étaient les seuls à pouvoir prouver que vous étiez à l'origine du trafic.

— Pourquoi pas Sauron ? fit Charles. C'était lui le chef de la tribu.

— Je sais. Et nous sommes venus ici en espérant vous trouver tous les deux. Mais je ne vois plus les choses comme ça et je parie que nous trouverons Sauron mort, lui aussi.

Golem, alias Charles Holloway, ricana.

— Erreur, l'Avocat. Le chef est parti.

— Mais ça n'a jamais été lui le chef, n'est-ce pas ? demandai-je. (Je connaissais déjà la réponse.) Pas dans cette opération.

— Exact, l'Avocat. C'est moi l'organisateur, et c'est pour ça que je vais être forcé de vous tuer, tous les trois.

— Charles !

— Vous ne pouvez pas tuer votre sœur, dis-je amèrement.

Il haussa les épaules.

— Tu me promets que tu ne me dénonceras pas, Ronda ?

— Charles, tu ne peux pas me demander ça. C'est impossible... Tu devrais...

Il sourit. Il avait choisi.

— Je dois reconnaître que c'était bien goupillé, accordai-je à contre-cœur. Qui irait imaginer qu'un petit hippie défoncé est en réalité un puissant homme d'affaires qui contrôle la distribution des stupéfiants tout le long de la Côte ?

— Personne, l'Avocat. Et personne ne se l'imaginera jamais.

— Pourquoi t'as tué J.-C. ? demanda Harry, d'une voix lugubre. Qu'est-ce qu'il savait ?

— Rien. Mais il m'a vu entrer dans la maison et il m'a suivi. Je n'ai su que c'était J.-C. qu'après l'avoir assommé. J'ai cogné un petit peu trop fort, c'est tout.

— Pourquoi tu l'as accroché comme ça ? fit Harry en désignant le mur d'un geste.

— Je me suis dit que ce serait marrant d'arranger une petite mystification et de faire passer le truc pour un meurtre rituel commis par des cinglés. Comme ça, personne n'aurait pensé à moi.

Il éclata de rire comme s'il la trouvait vraiment bien bonne.

— Vous avez quitté la maison de vos parents il y a plus de deux heures, remarquai-je. Si vous êtes arrivé ici depuis une demi-heure, où étiez-vous entre-temps ?

— Je prenais une livraison, mec.

Il se baissa, passa une main derrière le rideau tout en gardant son pistolet soigneusement pointé sur nous, et il en sortit un grand sac noir.

— Il faut que je me débarrasse de ça, non ? fit-il.

— Charles, ce sac est réellement rempli de drogue ? (Ronda se leva brusquement et fit un pas vers lui.) Je ne peux toujours pas croire que tu...

Sa voix se brisa à la pensée des choses dont elle

l'aurait cru incapable. Clouer J.-C. sur le mur, par exemple.

J'avais une ou deux secondes pour sortir mon pistolet de ma poche arrière et tirer, avant que Ronda arrive à sa hauteur. Elle fit un autre pas en avant et je vis les yeux de son frère se durcir.

Il me surveillait, mais son attention était prise par sa sœur. Je soulevai doucement mon pistolet et au moment où j'allais le braquer, Harry hurla. Il avait dû remarquer ma manœuvre et vouloir m'aider. Golem sursauta et appuya sur la détente. La balle dut passer quelque part entre Harry et Ronda. En tout cas, elle ne toucha personne. La mienne l'atteignit à l'épaule et l'envoya valdinguer en arrière dans le rideau noir.

— Charles !

Ronda courut vers lui, mais il tenait toujours son arme. Je la retins et appuyai encore sur la détente. La balle le frappa au flanc, juste sous le poumon.

— Non ! Ne le tuez pas ! cria Ronda.

Golem lâcha son arme et glissa au sol, le dos appuyé contre le mur et le rideau roulé sous lui.

— Ronda ! (Je l'étreignis fermement.) Vous ne pouvez pas l'aider. Laissez-moi faire. Rentrez chez vous et occupez-vous de votre mère. (Je me tournai vers Harry.) Fonce jusqu'à la route, prends un taxi et ramène-la chez elle. Je téléphonerai aux flics.

— Mais il n'y a pas de télépho... protesta Harry.

— J'en trouverai un, grondai-je. Fais-la seulement partir d'ici. Tout de suite.

Il lui prit le coude, l'attira à lui et la souleva dans ses bras. Ça valait le coup d'œil. Un gorille en caftan indien tenant dans ses bras une vierge blanche qui sanglotait sur sa poitrine velue ! Le spectacle méritait un commentaire intelligent, mais je ne réussis à en trouver aucun.

Ils sortirent et je me dirigeai vers Charles Holloway. Ses yeux étaient ouverts et il haletait.

— C'est sérieux ? demandai-je.

— Je ne peux pas bouger. Et mes jambes me font tout drôle.

— Ouais, et bien n'essayez pas de bouger, ordonnai-je fermement. Si vous remuez trop, vous saignerez à mort. Vous n'arriverez jamais jusqu'à la route.

Je m'agenouillai, déchirai sa chemise et fis de mon mieux pour bander son épaule. J'enveloppai sa blessure au flanc avec le rideau, puis je lui liai ensemble les poignets et les chevilles avec des bandes du tissu noir.

— Ces pansements de fortune partiront si vous bougez, l'avertis-je. Alors n'essayez pas.

— Vous allez appeler les flics ? s'enquit-il.

— Excellente idée. Je me demande pourquoi je n'y ai pas pensé plus tôt.

— Vous êtes un petit futé, ricana-t-il. Vous me défendrez, l'Avocat ?

— Je ne m'occupe pas d'affaires criminelles, répondis-je. Sinon, je me serais fait un plaisir de vous envoyer à la chambre à gaz.

— Si vous devez téléphoner, magnez-vous, au moins. Vous pourriez peut-être appeler une ambulance en même temps, au cas où je ne saignerais pas à mort pendant votre absence.

— Je verrai, si j'ai deux jetons, répliquai-je avec affabilité.

Je fermai la porte derrière moi d'un coup de pied, et j'atteignis la moitié du couloir qui traversait deux autres portes, avant que quelqu'un éteigne la lumière. Dans ma tête, je veux dire.

Lorsque je commençai à revenir à moi, je changeai immédiatement d'avis et tentai de replonger dans l'inconscience. Mais le petit homme au marteau n'allait pas me laisser m'en tirer comme ça. Je gémis donc faiblement et ouvris péniblement les yeux. Je me trouvais toujours dans le couloir, et ma joue reposait contre le tapis crasseux. La porte de la pièce derrière moi était ouverte à présent.

— Bon, d'accord, tue-le maintenant, murmura une voix dans le lointain, qui aurait pu être celle de Charles. L'hypodermique est dans le sac. Quand tu l'auras liquidé, tu pourras te débarrasser du restant de la came et m'emmener chez un toubib.

Légèrement, comme un bruissement de feuilles, je perçus une autre voix. Mais ce n'était qu'un chuchotement et je n'entendis pas ce qu'elle disait.

— On inventera une histoire, fit Charles avec

emportement. Mais tue d'abord Roberts et planque l'héroïne.

Je me traînai lentement à quatre pattes, et j'arrivai enfin à la porte d'entrée. Je me faufilai par l'ouverture puis me relevai. Ma tête protesta sous l'effort et le martèlement intérieur devint aussi insistant qu'une sonnette d'alarme, mais je n'avais pas le choix. Ou bien ma tête endurait la douleur et obligeait mon corps à partir d'ici, ou bien il ne ressortirait plus jamais de nulle part.

Je mis environ vingt minutes à trouver une cabine téléphonique, cinq cents mètres plus haut sur la route, en direction de Forestville.

J'expliquai au flic de service tous les détails importants, y compris le moyen de dénicher la maison. Il prit note de mon histoire sans mot dire.

— Et c'est de la part de qui ? demanda-t-il quand j'eus terminé.

— Dites simplement au sergent Brown que quand il arrivera, il trouvera ce dont il a toujours rêvé ; deux hippies, trafiquants et meurtriers. Et un sac d'héroïne en prime. S'il se dépêche, précisez.

— De quoi diable voulez-vous parler ? fit-il d'une voix éraillée. Qui est à l'appareil ?

— Le sergent comprendra, répondis-je d'un ton sarcastique. Il n'y a pas trente-six personnes qui prendraient la peine de lui offrir un cadeau pareil. Au fait, n'oubliez pas d'envoyer une ambulance.

Je raccrochai en me demandant amèrement comment le sergent réagirait quand je lui fourrerais deux assassins sous le nez. Vu cette masse d'héroïne pour se consoler, il n'aurait peut-être pas trop de mal à admettre qu'il s'était gourré ? De toute façon, je ne me préoccupais pas vraiment de ce qu'il ferait, du moment que Golem et son partenaire seraient bouclés pour de bon.

Au retour, je battis mon record de quelques minutes. Ma tête souffrait moins, mais ma fierté davantage. Il fallait que je présente ces deux mecs ficelés au sergent quand il débarquerait. J'avais toujours mon pistolet, et l'idée de m'en servir si le besoin se présentait ne me déplaisait pas. Mais lorsque je pénétrai dans la maison, je trouvai Golem seul. Il n'était plus appuyé contre le mur, comme à mon départ. Il s'était déplacé. Une trace de sang encore humide le suivait sur le plancher jusqu'au milieu de la pièce, puis le rattrapait à l'endroit où il gisait, sur le dos, le regard fixé au plafond. Ses yeux, grands ouverts, paraissaient encore plus féroces morts que vivants. Une seringue hypodermique toute neuve sortait de son cœur.

Je fouillai la pièce très soigneusement. Le sac d'héroïne avait disparu.

CHAPITRE IX

Il ne faisait aucun doute dans mon esprit que le sergent Brown saurait qui avait téléphoné. Et lorsqu'il découvrirait un cadavre et pas de drogue, il aurait quelques questions mordantes à poser à un gros malin d'avocat vachement embarrassé. Bien sûr, je pourrais toujours invoquer le Cinquième Amendement, mais je soupçonnais les flics du genre Brown de faire bien peu cas de ces lois sophistiquées sur l'auto-incrimination. Et mes chances de convaincre le sergent de la vérité, avec pour seul appui un cadavre et une seringue vide, me paraissaient plus que faibles.

Mais si je voulais dégotter cette drogue et ce meurtrier pour que le sergent Brown soit satisfait et me laisse quitter librement son canton, par quel bout devais-je commencer ?

Il ne me restait même plus le sac et j'ignorais où le chercher. Peut-être sous le rocher le plus proche, pensai-je aigrement.

Soudain une pensée éperdue s'infiltra dans mon esprit affolé. Et pourquoi pas ? Je devais bien chercher quelque part. Pourquoi pas sous un rocher ?

— Cet endroit est parfait, m'expliqua avec un grand sérieux Sauron, mollement adossé contre le rocher gris anthracite. (Il avait quitté sa robe noire et portait un jeans ordinaire et une chemise rouge foncé.) D'ici, on peut voir venir les flics sur la route, et comme il y a trois kilomètres à se taper, on a tout le temps de se tailler.

— J'ai pensé que vous devriez revenir ici chercher la marijuana. Calvin m'avait dit que vous la cachiez dans les bois.

— Et le fric, ajouta-t-il. Un mec comme moi, entrer faire des dépôts dans une banque, ça attire trop l'attention. Alors je planquais tout le pognon ici aussi.

— Vous avez dû entasser pas mal de galette. On s'enrichit vite à vendre de l'héroïne.

Il me regarda de ces mêmes yeux durs et perçants, mais sans la menace qu'ils recélaient naguère. Il était décontracté, défoncé à l'herbe, et il avait laissé tomber le jeu du pouvoir, du moins pour l'instant. Quand j'étais arrivé de la route, en pantelant sur la colline, il m'avait appelé de la crête bossue, où un gros bloc de pierre modelé en croissant formait un hamac naturel, un espace creux où six personnes pouvaient se tenir, hors de vue, et observer la côte sur quinze kilomètres dans les deux directions. Il m'avait vu seul, donc il ne craignait rien. Je n'avais pas amené les flics, et il était prêt à me parler, vu que je pouvais l'aider à le tirer au moins d'une condamnation pour détention de drogue, sinon davantage.

— Je sais, dis-je tranquillement. Vous allez me sortir que vous n'avez jamais vu d'héroïne de votre vie. Vous n'êtes qu'un innocent vendeur d'herbe, qui propage le bonheur spirituel.

Il haussa les épaules et m'adressa le plus gros sourire que je l'aie vu produire : une rapide torsion de ses lèvres minces, qui disparut aussitôt.

— C'est vrai, mec. J'ignorais que Golem trafiquait de l'héro jusqu'à ce matin. C'est la pure vérité, mais je me fous complètement que vous me croyiez ou non.

— Vous voulez dire, après votre départ de la maison ? C'est là que Golem vous a montré la drogue ?

Je me callai contre le rocher et observai son expression avec intérêt.

Sauron secoua la tête.

— Non, mec, il ne me l'a pas montrée. A moins que vous comptiez le contenu de la seringue qu'il a essayé de m'injecter.

— Il a voulu aussi vous injecter une dose mortelle ?

Il hocha la tête.

— Je m'y attendais, sinon il aurait réussi son coup.

— Vous vous y attendiez ? demandai-je d'un ton encourageant.

Mais il n'avait pas besoin qu'on le pousse à parler. Il se sentait à l'aise. Maintenant que son groupe avait éclaté, il savait qu'il ne toucherait pas un sou de l'héritage de Calvin, et il ne se méfiait plus de moi. Nous étions des potes, qui comprenions la véritable nature des choses.

— Mec, je savais que personne d'autre n'avait pu tuer La Taupe. Je l'ai su dès la minute où vous avez annoncé sa mort. Seulement je ne pouvais pas comprendre pourquoi. Golem était un type amer, d'accord, dur en dedans, vous savez, et un vrai pognoniste. C'est lui qui nous avait organisés pour vendre de l'herbe et du LSD sur une grande échelle, et à nous cinq, on fournissait les hippies de toute la côte. J'ignorais pourquoi il avait assassiné La Taupe, Cerf Bondissant et Fraise-à-Cheval, mais c'était évident qu'il tenterait de me liquider aussi. Alors je me suis dit, bon, qu'est-ce qui se passe ? Il n'y a jamais eu de tirage entre nous. Golem ne m'a jamais dit que ça sentait le brûlé ni rien, et pourtant ces trois types sont morts. Pourquoi ?

J'attendis la réponse, mais je savais qu'il ne pouvait y avoir qu'une explication, de toute manière.

— Alors je me suis dit qu'ils savaient peut-être quelque chose que j'ignorais et Golem les avait tués pour les empêcher de parler. Bon, alors, qu'est-ce qu'ils pouvaient bien savoir ? Eux, c'étaient les vendeurs, comme Golem. Moi, j'étais l'administration, si on veut, et les seules ventes que je faisais étaient locales. Bon, alors ils vendaient peut-être des trucs et je n'étais pas au courant ?

Et c'est là que j'ai compris. De l'héroïne. Ils fourguaient du cheval sans même me l'avoir dit. J'économisais de la petite monnaie dans notre coin, là-haut, et Golem empochait les biftons. Ensuite il a dû arriver des pépins, et Golem et les types pour lesquels il bossait ont paniqué.

— Mais pourquoi Golem a-t-il voulu vous tuer aussi ?

Sauron me regarda rêveusement. Ses yeux semblaient plus doux à présent, et comme vernis d'une pellicule vitreuse.

— Dans l'idée de Golem, j'ignorais qu'ils vendaient de l'héro. Mais je savais que c'était lui qui avait monté l'opération. Si jamais nous étions arrêtés et que j'apprenne l'histoire de l'héroïne, je pourrais immédiatement le désigner du doigt. Et nous étions sur le point de nous faire coffrer. Je savais qu'il y avait assez d'herbe dans cette maison pour qu'on plonge pour de bon, et même si nous arrivions à la planquer avant l'arrivée des flics, ils ne nous laisseraient pas nous en tirer une deuxième fois. J'ai cru qu'on était faits, et Golem l'a cru aussi. Donc, s'il avait tué les autres pour se protéger, il devait me tuer aussi.

— Quand je suis entré dans cette maison et que je vous ai annoncé la mort de Cerf Bondissant, vous n'avez pas cillé, remarquai-je. Pourquoi ne pas avoir crié au meurtre tout de suite ?

— Il fallait que je reste calme, mec, répondit-il mielleusement. Avec la Tribu, je restais toujours calme. Mais quand vous avez lâché ça, je me suis mis à réfléchir, et quand Golem vous a fait boire ce LSD pour vous faire taire, j'ai encore plus réfléchi. Alors quand vous avez trouvé le cadavre de La Taupe, j'ai tout pigé. Seulement, qu'est-ce que je pouvais faire ? Rester et atterrir en prison, ou m'enfuir ?

— Vous auriez dû me demander conseil, fis-je ironiquement. Les avocats, ça sert à ça.

— Quel conseil ? Celui de rester, d'aller en taule, de courir le risque, d'avouer, d'aider à combattre pour la vérité et la justice ? Quel avenir il y a là-dedans, hein ? Je préfère être là, défoncé, avec plein de pognon pour partir où je veux. Quelque part, une nouvelle histoire m'attend, mec, et dès ce soir, je pars à sa rencontre.

— A mon avis, ce sera encore la même vieille histoire. Les types comme vous ne sont en sécurité que quand personne dans leur entourage ne les menace. Et ils ont tellement la trouille, généralement, qu'ils passent leur vie à tâcher de les repérer. Vous retrouverez les mêmes gens, qui feront les mêmes choses, avec les mêmes idées brouillées sur la façon d'envisager le monde. Les mêmes adolescents qui peinent à atteindre l'âge adulte.

— Quel âge adulte ? ricana-t-il. Celui d'avoir une femme, trois gosses et un pavillon hypothéqué en banlieue ?

— Pas mal de gens finissent peut-être par la routine, admis-je, mais au moins, c'est une routine plus confortable que la vôtre.

Il aspira le dernier centimètre fumable de sa cigarette, jeta un mégot de dix millimètres par terre et l'écrasa sous son talon.

— Quel gaspilleur vous faites, lançai-je. Vingt mégots comme ça et vous pourriez vous rouler un autre joint.

Il haussa tout bonnement les épaules. Il ne se fâchait plus, c'était inutile. Qui se souciait des opinions d'un cave comme moi ?

Pour moi, il pouvait bien flotter au-dessus de l'horizon jusqu'au soleil couchant, si ça lui faisait plaisir. Il ne laisserait derrière lui que quelques mômes qui s'en porteraient mieux. Mais il y avait encore certains points que je tenais à éclaircir.

— Si vous aviez tout compris quand j'ai découvert le cadavre de La Taupe, pourquoi êtes-vous parti avec Golem ?

— Il m'a empoigné, mec, et il m'a dit : « Viens, on met les bouts. » Alors il a bien fallu que j'y aille. Si j'avais refusé, il m'aurait demandé pourquoi, et je n'aurais pas pu lui répondre. La seule chose à faire, c'était de l'accompagner et de le plaquer dès que possible.

— Mais Golem a essayé de vous tuer avant que vous ayez pu lui fausser compagnie ?

— Et il m'a loupé de justesse, mec, croyez-moi ! Nous sommes allés à la vieille maison, celle ou vous l'avez trouvé, dans une voiture qu'on gardait dans un garage en ville. Aucun membre de la Tribu ne savait qu'on avait une bagnole, bien sûr, à part La Taupe, Cerf Bondissant et la Fraise. On ne s'en servait généralement que pour nos déplacements le long de la côte. Bref, on arrive à la maison sans que j'aie eu la moindre occasion de me tirer. On entre, on se met à discuter de ce qui est arrivé et tout. Il n'arrêtait pas de me demander si j'avais une idée du gars qui avait pu les tuer. Il me sondait pour voir ce que je savais, parce qu'il se doutait que je découvrirais le pot aux roses tôt ou tard. Au bout d'un moment, je lui ai dit que c'était lui que je soupçonnais.

— Et il vous a sauté dessus ?

— Comme ça !

Il claqua des doigts. Le bruit résonna fortement dans le silence. Il n'y avait pas de vent, et le soleil avait disparu derrière la colline depuis dix minutes.

— Il a seulement souri, et il a sorti sa seringue d'un sac qu'il portait, toute pleine et prête à fonctionner. Alors moi, mec, je me suis mis à cavaler, y avait rien d'autre à faire, et il m'a rattrapé dehors. Il m'a à moitié assommé et il a approché l'aiguille de mon bras. J'étais foutu s'il n'avait pas glissé, en se penchant. Ça m'a donné tout juste le temps d'attraper une pierre et de le cogner avec. Ensuite, je me suis taillé, mec.

— Vous n'avez pas eu peur que Golem vous suive ?

— Pas vraiment. Il savait que j'aurais pu le repérer bien avant qu'il me rejoigne et que je serais monté sur cette colline, là-bas. C'est pas un éclaireur indien. Il n'aurait pas pu me repérer dans la forêt.

— Alors il est allé chez ses parents à la place... pour parler à quelqu'un, murmurai-je en réfléchissant à voix haute. Et c'est là que je l'ai aperçu.

— Ecoutez, mec, la nuit va tomber et il faut que je me mette en route. Ça vous dérange pas qu'on arrête cette petite conversation ?

— Pourquoi pas ? Nous savons tout maintenant, sauf qui a tué Golem.

— Ouais, mec, mais c'est pas mon problème. Je suis seulement heureux de ne plus avoir à craindre qu'il me retrouve et qu'il me bute.

— Vous n'avez peut-être plus à le craindre, lui, répondis-je fermement. Mais vous croyez que celui qui l'a tué ignore votre existence ?

Je le fixai durement, pour insister sur ce point.

— Qu'est-ce que vous voulez dire ? demanda-t-il d'un ton dubitatif.

— Ce que vous pensez. Golem était censé vous tuer, mais il a raté son coup. Votre liberté n'aurait pas trop inquiété celui qui fournissait Golem. Comme il était peu probable que vous fonciez parler aux flics, il aurait tout le temps de vous retrouver. Mais moi je l'inquiétais. La première chose que je ferais serait de contacter la police ; alors quand il s'est aperçu que je m'étais enfui, il n'avait plus qu'un moyen de se protéger. Maintenant, Golem ne peut plus parler. Mais nous, nous pouvons.

— Et alors ? s'impatienta Sauron. Nous ne connaissons que Golem, pas le gros mec qui est derrière.

— Peut-être, mais lui, il ne peut pas en être certain. Vous étiez dans le coup. Vous faisiez partie de l'opération. Il ignore ce que vous risquez de raconter aux flics s'ils vous attrapent.

Ses yeux vitreux et rêveurs s'assombrirent et il me dévisagea froidement tout en réfléchissant.

— Vous avez peut-être raison, finit-il par dire. Mais qu'est-ce que je peux y faire ?

— Une chose, répondis-je vivement. Faites-la et je vous promets que je tiendrai l'assassin dès ce soir. Vous pourrez filer sans aucun souci en tête, les poches pleines d'herbe, et avec toutes les chances de vivre assez longtemps pour vouloir vous installer dans un de ces pavillons hypothéqués, en banlieue.

— Je ne vivrai jamais aussi vieux. Mais qu'est-ce que vous voulez que je fasse ? De toute façon, je suis d'accord, si ça peut m'éviter de guetter tout le temps par-dessus mon épaule un inconnu qui veut ma peau.

— Donnez un coup de téléphone, c'est tout. Ça marche ?

Il eut l'air ahuri.

— Bien sûr. Qui dois-je appeler ?

— Cecil Holloway.

— Le vieux de Golem ? (Il me lança un regard narquois.) Qu'est-ce que je dois lui dire ?

— Que vous êtes au courant du trafic de drogue et que vous savez qui a tué Golem. N'ajoutez pas un mot. Demandez-lui ensuite cinq mille dollars en échange de votre silence.

— J'ai pigé... Vous serez là pour observer sa réaction. Bon Dieu, vous pensez que Golem aurait été tué par son propre vieux ?

— Contentez-vous de téléphoner et laissez-moi le soin de faire les déductions. Si Holloway semble intéressé, donnez-lui rendez-vous dans la vieille maison. Ne dites rien d'autre et raccrochez.

— D'accord, l'Avocat. Vous venez d'engager un adjoint. Seulement je vais mettre un sacré bout de temps pour trouver un téléphone. Ils ne poussent pas sur les arbres, par ici.

— Je vous déposerai à un bar, sur la route. Vous y resterez jusqu'au moment de téléphoner. Neuf heures. Pas avant.

— Un bar ? Mec, je ne bois pas.

— Allons bon. Ma conscience m'importunerait si je vous incitais à de si mauvaises habitudes. Alors, je vous déposerai dans un snack-bar quelconque. Vous pourrez vous enfermer dans les chiottes et vous défoncer, pour passer le temps.

Nous mîmes une demi-heure pour regagner une voiture, puis nous roulâmes quelques kilomètres sur la route en direction de Forestville, et je déposai Sauron devant une station-service mâtinée de snack-bar. Il m'annonça qu'il s'allongerait dehors, sous les étoiles, et qu'il brancherait son esprit sur l'univers en attendant, mais qu'il surveillerait l'heure.

Nous n'échangeâmes pas de poignée de main, mais tandis qu'il s'éloignait de la voiture d'un pas tranquille, avec sa robe noire dépassant d'un sac en tissu qui contenait tous ses biens, je sentis que ce n'était pas le sale mec pour qui je l'avais pris au début. Ce n'était en fait qu'un petit escroc sympathique qui ne s'adaptait pas au monde actuel. S'il avait été un peu plus idiot et un peu plus sûr de lui, il aurait fait un bon politicard.

Lorsque j'atteignis Forestville, je m'arrêtai le temps de passer moi aussi un coup de fil.

— Je voudrais parler au sergent Brown, annonçai-je aimablement quand le flic du bureau répondit.

— C'est de la part de qui ?

— Dites-lui que c'est un emmerdeur d'avocat qui veut lui parler d'une histoire de meurtre.

— Ne quittez pas.

Ils pouvaient bien me faire attendre. Le temps qu'ils localisent l'appel, je serais parti.

Quelques minutes plus tard, Brown prit l'appareil.

— Alors, Roberts, où êtes-vous et pourquoi avez-vous fait ça ?

— Fait quoi, sergent ? demandai-je innoncemment. Vous ne pensez tout de même pas que je suis le chef du gros syndicat de la drogue envoyé ici par l'Organisation pour coopérer avec vous dans le but d'effacer tous les camés locaux de la circulation ?

— Très amusant, grinça-t-il. Et maintenant, si vous veniez un peu ici discuter de tout ça, histoire de rectifier certaines fausses impressions que je pourrais avoir ?

— C'est entendu, promis-je. Mais pas tout de suite.

— Ecoutez, Roberts, on vous aura, gronda-t-il. Venez immédiatement ou...

— Vous auriez dû me dire que vous étiez sur la piste d'une grosse chaîne de trafiquants, et que vous enquêtiez en coopération avec des agents fédéraux. Et c'est pourquoi vous ne teniez pas à ce que je me montre trop indiscret dans cette histoire de meurtres, n'est-ce pas ?

Silence à l'autre bout du fil.

— Vous auriez pu au moins m'avouer que vous saviez que les trois mômes assassinés étaient dans le coup, poursuivis-je, donc que si vous découvriez les fournisseurs de l'héroïne, vous tiendriez le meurtrier.

— Roberts, je ne plaisante pas. Vous feriez mieux de venir discuter de tout ça.

— Je vous l'ai déjà dit, sergent, pas tout de suite. Je veux d'abord vous offrir le meurtrier, comme je vous l'ai promis. Seulement une autre question. Pourquoi n'avez-vous pas arrêté Charles Holloway quand vous en aviez l'occasion ?

— Parce que je veux le type qui est derrière lui, répondit-il sèchement.

— Et le nombre des morts vous importait peu, du moment que vous arriviez à l'alpaguer ? fis-je durement.

Je l'entendis haleter et tâcher de garder son sang-froid. Mais je n'attendis pas qu'il me demande encore de venir discuter de tout ça. Je raccrochai.

CHAPITRE X

Ronda Holloway fut heureuse de me voir. Elle réussit même à m'adresser un sourire convaincant.

— Bonsoir Randy. C'est fini ?

— C'est fini.

— Il va bien ?

— Ça dépend de ce que vous entendez par bien.

L'idée de lui annoncer la nouvelle me répugnait, parce que je l'aimais bien, mais pour finir, je me dis qu'elle préférerait la façon dont Charles était mort maintenant à celle dont il serait mort plus tard.

— Randy, je veux dire, est-ce qu'il va bi... (Elle s'arrêta.) Enfin, vous me comprenez.

— Il n'aura pas à être jugé et exécuté. Je suppose qu'on peut dire que c'est mieux comme ça.

— Il est mort, annonça-t-elle d'une voix précise et confiante, comme une écolière qui donne la bonne réponse à un problème.

Elle était presque satisfaite d'avoir trouvé la solution elle-même.

— Quelqu'un l'a tué, fis-je en me grattant le crâne.

Ma tâche était vraiment pénible.

Il y eut une lueur de perplexité dans ses yeux profonds et innocents.

— Mais vous...

Je secouai la tête et lui racontai ce qui s'était passé.

— Mais pourquoi ?

Elle joignit étroitement ses mains. Ses yeux embués montraient qu'elle avait du mal à croire que tout son monde sain, de caves banlieusards, se brisait.

— Pour la même raison que Charles a tué les autres. Protection.

— Mais je ne comprends pas.

— Ça viendra, mais pour l'instant, n'essayez pas. Votre père est là ?

— Non. Mes parents sont allés tous les deux au commissariat. Richard aussi. Ils ont reçu un coup de téléphone il y a environ trois heures. Comme je pensais être déjà au courant de tout, je ne leur ai rien demandé, et ils ne m'ont rien dit.

— Vous n'avez rien raconté de ce qui s'est passé ?

— Non.

— Parfait. Allons nous asseoir là, voulez-vous ? proposai-je en indiquant le sofa orange, car nous nous tenions toujours sur le pas de la porte.

Elle me sourit, mais pas d'une manière convaincante cette fois.

— Bien sûr, Randy. Installez-vous, je vais nous servir à boire.

— Un Bourbon on the rocks pour moi.

— Que diriez-vous d'un double ?

— Pour moi ou pour vous ?

— Pour nous deux. Naturellement, vos nerfs sont plus résistants que les miens.

— Ce n'était pas mon frère.

J'allai m'asseoir, et deux minutes plus tard, elle traversa la pièce avec deux verres en main. C'étaient des verres en épais cristal qui avaient dû coûter deux ou trois dollars pièce.

La jeune et pulpeuse silhouette de Ronda était soulignée par une robe moulante en dentelle blanche qui s'arrêtait juste à la naissance de ses gracieuses cuisses rondes. Ses seins, fermes et très écartés, ressemblaient à des cimes recouvertes de neige, mais je ne comprenais pas pourquoi la neige ne fondait pas !

— Votre père sait que vous portez cette robe ? soupirai-je. Ou bien il a changé d'avis à propos de votre virginité et il ne peut plus attendre que vous soyez violée ?

— Dans ma propre maison, par exemple ?

Elle éclata de rire. Elle se sentait mieux.

— Je ne pensais pas à moi, répondis-je avec franchise. Je pourrais être votre père, si j'avais été un gamin précoce de neuf ans.

— Voyons. (Elle fixa songeusement le plafond.) Ça vous fait vingt-huit ans. (Elle hocha la tête, apparemment très satisfaite de l'information.) Et vous n'étiez pas un gamin précoce de neuf ans ?

— Si, admis-je. Mais heureusement, mes idées avaient de l'avance sur l'époque, sinon j'aurais pu engendrer une belle jeune fille comme vous.

Elle eut un sourire forcé.

— Ça ne m'aurait pas déplu, en un sens.

— Vous voulez dire que vous auriez souhaité un père différent ?

— Pas exactement... Oh ! je n'en sais rien. (Elle s'arrêta.) Randy ?

Je remarquai la brusque étincelle qui venait de lui allumer l'œil et je lampai mon Bourbon. Elle n'attendait pas ma réponse.

— Randy, j'ai pris une décision. (Sa voix se précipita, dans son excitation.) Je ne suis plus une petite fille, et j'ai passé l'âge de considérer un homme comme un père. Ce qu'il me faut maintenant, c'est un amant.

Je hochai aimablement la tête.

— Je suppose que vous êtes assez grande, en effet. Mais où sont passés vos anciens amants ?

Elle baissa les yeux et roula son verre entre ses paumes.

— Je... Je voulais seulement me vanter. Vous savez, comme une petite fille qui refuse d'admettre qu'elle est vierge.

Je ressentis soudain un poids dans mon estomac, comme si quelqu'un avait lâché une petite pierre dans la nappe de Bourbon. Je la sentais glisser vers le fond.

— Votre père disait donc vrai ? Il vous a protégée pendant toutes ces années ?

— Et comment ! Et le pire, c'est qu'il m'a à moitié convaincue que cette histoire de vertu est réellement belle et pleine de sens. Mais maintenant, je vois que ce ne sont que des balivernes pour petites filles. Les femmes ont besoin d'aimer, et d'être aimées. Le seul problème, en fait, c'est de tirer le bon numéro.

— Oui, bien sûr, marmonnai-je en engloutissant le reste de mon Bourbon. Il est vraiment essentiel de bien choisir son homme. Et qui avez-vous en tête ?

— Vous.

— Je peux en avoir un autre ? (Je lui fourrai mon verre dans la main.) Un triple, s'il vous plaît.

— Oh ! Randy, vous n'avez pas besoin d'un autre verre, tout de même ?

Elle posa soigneusement nos deux verres par terre puis appuya sa tête contre mon épaule. Ses yeux profonds et innocents rayonnaient.

— Vous avez raison, petite fille, dis-je aussi calmement que possible. Le seul vrai problème, pour une femme, c'est de tirer le bon numéro. C'est mon problème. C'est le problème de tout le monde.

— Moi, j'ai résolu le mien.

— Non, je ne suis pas l'homme qu'il vous faut.

Elle se redressa vivement, le dos roide.

— Randy ! Pourquoi ?

— D'abord, les vierges me donnent de l'urticaire. Parfois, je me gratte pendant des semaines.

Elle éclata de rire comme si je plaisantais.

— Qu'est-ce que c'est que cette salade ? Vous

n'avez rien à craindre. Je ne vous ai jamais demandé de m'épouser, je veux seulement que vous me fassiez l'amour.

— Quand on fait l'amour à une vierge, ça tourne toujours mal, fis-je en me levant pour me servir moi-même à boire. Après, ou bien elle vous hait, ou bien elle vous aime. Disons que maintenant, je vous suis sympathique, et restons-en là, d'accord ?

— Oh, sale brute ! gémit-elle tristement. Tout ce que je veux, c'est devenir une femme, et vous, vous ne cessez de parler de ma virginité comme s'il s'agissait de... d'une marchandise ou je ne sais quoi !

— On ne devient pas une femme en une nuit, dis-je en avalant une gorgée de Bourbon pur. C'est ça l'ennui, avec les vierges, elles croient que si.

Je consultai ma montre. Il était huit heures cinquante.

CHAPITRE XI

J'allais me décider à demander à Ronda de téléphoner aux flics pour savoir si ses parents avaient déjà quitté le commissariat quand la porte d'entrée s'ouvrit et que les trois Holloway firent irruption.

— Maman ! s'écria Ronda.

Elle se précipita à travers la pièce, se jeta dans les bras de sa mère et se mit à sangloter, débondant toutes les émotions qu'elle avait contenues jusqu'ici.

Cecil Holloway et son plus jeune fils, Richard, s'avancèrent dans la pièce.

— Qu'est-ce que vous fichez là, Roberts ? aboya Holloway. Vous n'êtes pas le bienvenu. Je suppose que vous avez fait part à Ronda de votre version de ce qui est arrivé à Charles. Alors maintenant que vous avez commis les pires dégâts, sortez et laissez-nous débrouiller les choses à notre façon.

J'allais lui répondre, mais Richard élimina cette nécessité.

— Pourquoi ne pas laisser M. Roberts nous

expliquer ce qu'il veut, papa ? demanda-t-il d'une voix douce et raisonnable.

Richard ne semblait plus du tout nerveux, comme la première fois que je l'avais vu. Il n'avait même pas daigné regarder son père en s'adressant à lui.

Holloway fronça les sourcils, puis me fusilla des yeux.

— Parfait, Roberts, écoutons donc ce que vous avez à dire. Mais s'il s'agit encore d'ignominies, je vous jure que Richard et moi nous vous le ferons payer.

— Deux contre un... Je suppose que ce sont les moyens qu'un homme d'affaires louche tel que vous préfère. Aucun risque, et tous les bénéfices.

— Je n'ai pas l'intention d'écouter vos insultes. Si vous avez quelque chose à dire, dites-le tout de suite et partez.

— J'espérais que Carlotti, alias Matthews, serait toujours ici, fis-je. Mais il a dû penser qu'il pouvait rentrer tranquillement, maintenant qu'il a tout arrangé.

— Que voulez-vous dire, Randy ? Qu'est-ce que M. Matthews a arrangé ?

Ronda me dévisageait, pâle comme la mort. Son regard allait de moi à sa mère, mais Mme Holloway fixait un point dans l'espace, quelque part entre son mari et moi ; elle avait un visage inexpressif, comme si elle n'écoutait même pas ce qu'on racontait.

— Le dénouement de l'opération, répondis-je

sèchement. Voilà ce qu'il arrangeait ici. Il s'assurait que toutes les pistes menant directement à lui et le désignant comme un des principaux distributeurs de stupéfiants étaient coupées. Parce qu'il savait que les agents fédéraux cherchaient à réunir des preuves contre lui. Il a décidé qu'il était temps pour lui de recommencer à vivre du rapport de ses bordels, et de laisser tomber la drogue pour un temps. De toute façon, il ne risquait pas de s'appauvrir dans l'histoire, bien que votre père, ici présent, lui gratte un certain pourcentage.

— Cette fois, Roberts, ça suffit ! cria Holloway, dont le visage bouffi s'était empourpré de fureur. Je vais personnellement vous foutre dehors.

Il se tenait entre la porte et moi et il s'avança. Richard se trouvait à sa gauche, mais il ne bougea pas d'un millimètre. Sa silhouette mince, impeccablement vêtue d'un complet bleu marine et de chaussures noires vernies, était parfaitement détendue tandis qu'il regardait son père s'approcher de moi.

— Tu ne veux pas écouter M. Roberts jusqu'au bout, Papa ? demanda-t-il. Quel intérêt de le jeter dehors s'il fonce raconter tout ça à la police ?

Holloway senior s'arrêta brusquement et eut visiblement beaucoup de mal à se contenir.

— Parfait, Roberts, cracha-t-il les dents serrées. Vous m'accusez d'être un tenancier de bordels. Quelles autres invraisemblables sornettes avez-vous à ajouter ?

— Pas exactement un tenancier de bordels, répondis-je. Vous êtes un actionnaire de la chaîne que dirige Carlotti à San Francisco. J'ignore comment vous avez été amené à investir là-dedans, mais la police se chargera de le découvrir.

— Vous ne croyez pas que vous êtes un peu naïf de croire qu'il y aura une enquête ? fit Richard en haussant les sourcils.

Puis je remarquai que pendant les quelques secondes où j'avais porté mon attention sur son père, il avait sorti un pistolet. Et il le pointait droit sur mon ventre.

— Qu'est-ce qui se passe, Richard ? demandai-je brillamment. Vous êtes à court d'hypodermiques ?

Il n'eut pas le temps de répondre, car juste à ce moment-là, le téléphone sonna. Je glissai un coup d'œil sur ma montre : neuf heures dix.

Holloway lança un regard à Richard, puis marcha jusqu'à la petite table en verre installée près de la porte d'entrée et décrocha.

J'observai rapidement Ronda et notai qu'elle dévisageait son père d'un air d'incrédulité totale, le visage blanc comme un linge. Elle tremblait visiblement et elle étreignait toujours sa mère. Mme Holloway tourna légèrement la tête et échangea de brefs regards avec moi. Ses yeux sombres et creusés semblaient hallucinés et je sentis qu'ils m'imploraient d'épargner sa fille. Mais je ne pouvais pas faire grand-chose pour l'instant, vu le pistolet que Richard braquait sur moi.

— Allô, gronda Holloway. Oui, c'est moi. Qui êtes-vous ? (Il écouta une dizaine de secondes. Son visage s'empourprait de plus en plus.) Ecoutez, espèce de salaud, tonna-t-il. Je ne sais pas qui vous êtes ni pourquoi vous m'appelez, mais si vous savez qui a tué mon fils, dites-le à la police, pas à moi !

Il raccrocha le téléphone si violemment que je craignis qu'il ne marche plus, après, quand je voudrais appeler les flics. Ce qui montre à quel point je peux être optimiste !

Holloway pivota sur ses talons et m'afronta de nouveau, puis il s'avança au milieu de la pièce. D'après l'expression de son visage, je pensai qu'il allait peut-être essayer de m'étrangler, mais je m'aperçus ensuite qu'il ne me regardait même pas.

— Vous ignorez donc qui a tué Charles ? m'enquis-je avec intérêt. (Holloway détacha son regard de Richard pour le poser sur moi.) Ou vous vous demandez soudain pourquoi votre fils a sorti un pistolet ?

— Même si j'en crevais d'envie, Roberts, je ne pourrais pas vous tuer, suffoqua Holloway. Richard le sait. Vous ne pouvez rien prouver sur mes affaires, de toute façon, et Richard a simplement essayé de vous effrayer.

Je secouai la tête.

— C'est peut-être ce que vous voulez croire. Mais la vérité, c'est que votre fils est forcé de me tuer. Il sait que je sais qui a tué son frère.

Mon verre n'était pas tout à fait vide. J'asséchai mon reste de Bourbon en souhaitant de toutes mes forces que ce ne soit pas le dernier. C'était un verre lourd. Je le soupesai négligemment dans ma main.

— Non ! Ce n'est pas vrai, c'est impossible ! hurla Ronda.

Elle s'arracha des bras de sa mère et s'avança vers Richard.

Le pistolet ne trembla pas dans la main du jeune homme.

— Il n'avait pas l'intention de tuer Charles, dis-je doucement, en regrettant qu'elle ait à entendre la suite. Mais les circonstances ne lui ont pas laissé le choix. Qui sait, il aimait peut-être même son frère, à sa façon. Mais il s'aimait davantage lui-même, voilà tout.

— Roberts, vous perdez la tête ! cria Holloway. Richard n'aurait jamais tué son propre frère. Pourquoi raconter un mensonge aussi ignoble ?

— Richard, Richard, gémit Ronda. Dis-lui que c'est faux. Je t'en supplie. Je ne peux pas vous perdre tous les deux. Je ne peux pas.

Elle s'avança en titubant vers lui, les yeux implorants, et pour la première fois, il se tendit et lui lança un coup d'œil nerveux.

— Ne te mets pas entre lui et moi, Ronda, ordonna-t-il fermement. Reste où tu es.

— Richard ! pleura-t-elle sur une seule note d'angoisse perçante, avant de s'effondrer sur le sol, silencieuse.

Mme Holloway se précipita pour aider sa fille, et pendant une seconde, le pistolet dans la main de Richard trembla. Priant comme un fervent Catholique à qui on vient de dire qu'il n'a plus que trente secondes à vivre, je lançai mon verre vide droit à la tête de Richard.

Je n'avais jamais été un champion de base-ball au collège, mais en cas d'urgence, même un seconde ligne peut parfois marquer un but. Le verre le cogna juste entre les yeux, et il heurta le sol, vite et violemment, comme s'il était tombé d'une grande hauteur.

Holloway ne bougea pas. Il semblait pétrifié par le choc. Mais je ne voulais courir aucun risque. Il pouvait reprendre ses sens et décider que son fils avait raison, après tout, et qu'ils seraient bien plus tranquilles sans un emmerdeur d'avocat pour semer la pagaille dans leur vie. Je ramassai donc le pistolet et le pointai mollement dans sa direction. Je me sentais beaucoup mieux. Je le donnerais peut-être, ce coup de téléphone, en fin de compte.

Je préparai rapidement deux verres et en tendis un à Mme Holloway pour Ronda. J'avalai l'autre.

— Comment saviez-vous que c'était lui... qui avait tué son propre frère ? murmura Holloway d'une voix éteinte.

— Ça ne pouvait être que lui, si ce n'était pas vous. C'était lui qui établissait le contact entre Carlotti et Charles. C'était le maillon vital de la chaîne entre le stock de drogue à San Francisco et le point de distribution locale.

— Comment avez-vous pu savoir ça ? J'ignorais totalement que Carlotti s'occupait de drogue. En fait, je ne savais que ce que vous avez dit tout à l'heure. Je n'aurais jamais imaginé que Richard...

— Mais il connaissait la nature de vos investissements chez Carlotti ? Et il connaissait Carlotti ?

Holloway hocha la tête, passa des doigts tremblants dans ses cheveux parsemés et grisonnants, et me fit soudain l'impression qu'il allait s'évanouir aussi s'il ne s'asseyait pas sur-le-champ. Je poussai de la jambe un des sièges en plastique orange vers lui et il s'y affala avec reconnaissance.

— Je pensais... Enfin, je voulais que Richard devienne un solide homme d'affaires à la tête sur les épaules, qu'il sache se débrouiller, marmonna Holloway. Je lui ai appris à gérer l'argent, à le faire travailler à sa place.

— Et les bordels donnent une meilleure rémunération du capital que les stations-services, hein ? Alors vous lui avez enseigné que les moyens de s'enrichir importent peu, du moment qu'on reste blanc, c'est bien ça ?

Holloway se contenta de me regarder fixement. Je lisais dans ses yeux qu'il ne comprendrait jamais quand et où il avait fauté et perverti ses fils, tous les deux, pour en faire des escrocs déterminés et sans scrupules. Alors que restait-il à dire ?

— Je voulais simplement éviter que Richard tourne comme Charles, en hippie immoral et sans l'ombre de convenances sociales, fit plaintivement Holloway. Et j'ai cru que Richard avait compris. Mais comment avez-vous su que Richard était en rapport avec Carlotti ?

— Hier chez vous, quand je vous ai laissé dans

votre bureau avec Carlotti, j'ai entendu deux personnes discuter dans le garage. L'une d'entre elles était Charles. Je l'ai vu partir. L'autre voix était masculine, elle aussi, mais trop faible pour que je puisse la reconnaître. Ni vous ni Carlotti n'auriez eu le temps de sortir par la porte de derrière et de contourner la maison pour gagner le garage. Il ne restait donc plus qu'un membre mâle de la famille : Richard. Mais tout cela me prouvait simplement que les deux frères se parlaient. Alors j'ai sauté dans ma voiture et j'ai suivi Charles. Richard, en sortant du garage a dû me repérer. Bref, quand j'ai fini par retrouver Charles, Richard a déboulé. J'ai pincé Charles avec un sac plein d'héroïne, et j'allais appeler les flics quand Richard m'a assommé par-derrière. Je suis revenu à moi juste à temps pour l'entendre dire qu'il allait me tuer.

Holloway n'avait pas l'air de me croire, mais je ne m'en souciais pas vraiment. La seule chose qui me préoccupait à présent, c'était de convaincre le sergent Brown.

Par terre, derrière Holloway, Ronda s'était remise à sangloter dans les bras de sa mère. A sa gauche, Richard se mit à gémir et leva une main pour frotter doucement une énorme bosse décolorée qui gonflait au milieu de son front.

— Ronda m'a mis sur la piste de la drogue, poursuivis-je, sans être sûr qu'il m'écoutait encore. Elle m'a dit que sa mère était rentrée dans un grand état d'agitation après avoir vu Charles. Et elle l'avait vu juste avant qu'un jeune type débarque dans ma chambre d'hôtel, le sang truffé d'une dose mortelle d'héroïne. Le type connaissait mon adresse parce que je l'avais donnée à un de ses amis. Mais qu'est-ce qu'il me voulait ? La seule réponse logique, c'est qu'il voulait me dire quelque chose, ou demander mon aide, ou les deux à la fois. S'il avait des ennuis et qu'il désirait s'en sortir, il aurait vraisemblablement foncé chez l'avocat le plus proche. Et c'était moi. Ce qu'il voulait me dire, c'est qu'il vendait de la drogue pour votre fils Charles, et qu'on venait de les surprendre en train d'effectuer un échange. Mme Holloway était partie chercher Charles, et elle avait réussi à le retrouver. La drogue devait être sur la table.

— Je roulais en direction du commissariat quand j'ai vu Charles passer dans une vieille voiture. Je l'ai suivi, fit Mme Holloway sans lever les yeux du plancher, d'une voix étouffée, à peine audible.

— Vous avez dû le menacer de le dénoncer à la police, continuai-je doucement. Et le type qui était avec lui a paniqué et il a plaqué Charles. Votre fils l'a suivi et l'a tué. Alors il a su qu'il devrait tuer aussi son autre revendeur, et quiconque pourrait le soupçonner du premier meurtre. Il a téléphoné à Richard qui a prévenu Carlotti. Carlotti est venu en personne s'assurer que tout était en ordre, et le temps qu'il arrive, c'était fait. Richard avait parlé à sa mère. Il l'avait calmée et convaincue qu'il pourrait amener Charles à lâcher le trafic si elle se taisait. Ronda a entendu leur dispute à ce propos, et elle a cru que c'étaient ses parents qui se querellaient, vu qu'elle était habituée à les entendre s'engueuler.

Ronda me regarda d'un air douloureux, mais elle ne pleurait plus.

— Vous saviez que c'était Richard ? Mais... mais moi-même je l'ignorais...

Sa voix se brisa.

— Ç'aurait pu être votre père, reconnus-je. Auquel cas, lui et Richard étaient tous deux mêlés au trafic de stupéfiants. C'est pourquoi j'ai monté cette histoire de téléphone. Je voulais observer sa réaction à une menace de chantage.

Je me tournai vers Holloway.

— Votre réponse m'a persuadé que vous n'aviez rien à voir dans le trafic, ni dans le meurtre de votre fils.

— Pourquoi... Pourquoi Richard a-t-il tué Charles ? hoqueta Ronda.

— Richard pouvait le laisser en vie et courir le risque qu'il raconte l'histoire à la police pour sauver sa peau, ou bien le tuer. Il a dû trouver que le risque était trop grand.

— Ce dégonflé aurait parlé, grogna Richard. (Il se releva en titubant et je pointai le pistolet sur lui.) Il n'a jamais eu d'estomac, ni de cervelle. Il aurait été incapable de faire quoi que ce soit, si je ne l'avais entièrement dirigé. Il m'a téléphoné, avant de tuer le premier mec, dans un état de panique totale. Tout ce qu'il avait trouvé, c'était qu'on prenne notre fric et qu'on quitte le pays.

— Mais vous lui avez expliqué que ce serait beaucoup plus simple de liquider deux ou trois personnes, et de vous retirer tranquillement des voitures ? rétorquai-je avec haine. Comme ça, personne n'aurait rien pu prouver, pas même votre mère, et ça vous évitait le moindre sacrifice ?

— Oh ! Richard, tu m'avais promis, gémit sa mère.

Son visage se décomposa soudain en rides d'angoisse. On aurait dit que sa peau se déchirait. Le lourd maquillage de ses yeux se répandit en une eau boueuse tandis que les larmes commençaient à couler. Elle s'était retenue longtemps.

— Tu m'avais dit que tu cesserais et que tout irait bien. Tu m'avais promis, Richard, Richard...

Elle continua à psalmodier son nom, le visage enfoui dans ses mains. Ronda s'assit près d'elle, comme engourdie, les mains croisées sur ses genoux.

Je gardai mon pistolet braqué sur Richard qui m'observait intensément, à présent. Son visage maigre exprimait l'astuce impitoyable qui aurait pu le mener loin s'il avait choisi la bonne voie.

Sans du tout se soucier de sa femme, Holloway se leva et se prépara à boire, pendant que j'allais téléphoner aux flics.

Je le savais, le sergent Brown serait vraiment heureux d'avoir de mes nouvelles.

CHAPITRE XII

— Si ça avait une chance de marcher, Roberts, je vous inculperais pour obstruction à la justice, et c'est la pure vérité, gronda le sergent Brown, ses gros battoirs fermement serrés sur son bureau.

Je ne doutai pas une seconde de sa sincérité.

— Vous devriez m'être reconnaissant, sergent, répliquai-je d'un ton de dignité blessée. Je vous apporte la solution de cinq meurtres, le principal vendeur de drogue de votre district, et la piste du gros fournisseur en personne. Ce ne sera qu'une affaire ordinaire de le pincer à présent, pour les agents fédéraux. Alors que pourriez-vous désirer de plus ?

— Que vous soyez resté en dehors de tout ça, et que vous nous ayez laissé manœuvrer à notre façon. Ça aurait fait un meurtre en moins, d'ailleurs.

Son gros visage dur ressemblait à un masque de granit, et ses yeux insensibles, qui me toisaient d'un air sinistre, à des pierres de lune.

— C'est une manière de voir les choses, je suppose, fis-je avec rancune. Mais comment auriez-vous pu épingler les frères Holloway pour trafic de drogue, sans moi ?

— Rien de plus simple. On les aurait pris la main dans le sac avec la came. On préparait une grosse rafle en coopération avec les agents fédéraux. Seulement vous avez fait foirer notre plan, en paniquant Charles Holloway et en l'exposant à se faire effacer.

— Foutaises ! explosai-je. Six heures de plus et les Holloway se seraient débarrassés de chaque gramme d'héroïne qu'ils possédaient, et vous n'auriez jamais pu les agrafer. A moins que vous ayiez projeté de les amener ici et de les tabasser jusqu'à ce qu'ils crachent le morceau ? De toute façon, vous ne saviez même pas que Richard Holloway était le contact.

— D'accord, gros malin, mais on l'aurait deviné d'ici peu. La maison des Holloway était sous surveillance.

— Alors comment se fait-il qu'un de vos hommes n'ait pas suivi Charles quand il est parti de chez lui, et qu'il m'a à moitié tué ensuite ? crachai-je avec hargne.

— Il vous a suivi ! beugla le sergent. Et vous avez perdu Holloway ! Alors, c'est de ma faute, peut-être ?

— Non, sergent, rétorquai-je avec ironie. Rien n'est de votre faute.

Un coup résonna contre la porte et un flic en uniforme passa sa tête par l'entrebâillement.

— Les hippies sont prêts à partir. C'est lui, le type qui a versé la caution ?

— Ouais, c'est lui, renifla le sergent. Rendez-moi un service, Roberts. Emmenez vos petits amis les camés et disparaissez.

Je me levai et m'avançai vers la porte.

— D'accord, sergent. Mais vous savez, je crois qu'en fait, vous êtes consterné parce que vous n'avez pas encore mis la main sur ce sac d'héroïne. Mais si vous continuez à travailler Richard, avec vos méthodes subtiles, vous pourrez probablement lui tirer les vers du nez d'ici le milieu du mois prochain... quand toute la marchandise aura été transbahutée quelque part entre ici et l'Afghanistan.

Je passai devant le flic et permis au sergent de rêver qu'il vivait dans un état policier, et non en démocratie, et qu'il pouvait me coller lui-même dix ans de taule, pour son propre plaisir.

Il avait vraiment ce qu'on appelle la vocation de flic.

Lorsque je sortis du commissariat, la Tribu m'entoura sur le trottoir, me martela les épaules et m'étreignit.

Calvin me donna un baiser enthousiaste sur la joue, Okeefenokee déclara qu'il m'offrirait bien un joint s'il en avait un, Squaw-Blanche faillit me rompre les côtes d'une colossale tape amicale, et Siège-Arrière me colla carrément un long et vrai baiser sur la bouche, lequel fit hurler tout le monde d'un énorme rire hystérique pendant cinq bonnes minutes.

Elle me laissa finalement reprendre mon souffle.

— Vous savez tous que vous devez rester dans la région jusqu'au procès, haletai-je. Je viendrai de San Francisco pour vous représenter, quand le moment arrivera, alors ne vous inquiétez pas trop. Si vous ne commettez pas de folies d'ici là, par exemple vous faire repiquer pour détention de drogue, on devrait vous accorder la liberté sous surveillance. En tout cas, je ne pense pas que le juge prendra trop au sérieux la recommandation du sergent Brown, qui tient à ce qu'on vous condamne à la peine capitale.

— Ecoutez, mec, on va retourner au camp et on y restera jusqu'à ce que vous veniez nous chercher, sourit Okeefenokee. Et aucun flic ne viendra fourrer son nez chez nous, je vous le garantis.

— Parfait, fis-je d'un ton dubitatif. Mais faites attention, pour l'amour du ciel.

— Hé ! Pourquoi ne pas donner une grande fête avant le départ de notre avocat ? cria Bang Bang d'une voix aiguë et enflammée, en pressant soudain ses courbes délicieuses contre mon individu.

— Ecoutez, je crois que je...

— Excellente idée ! hurla tout le monde à la fois. Je me sentis brusquement propulsé vers ma voiture, Bang Bang à un bras, et Siège-Arrière à l'autre, qui me soufflait son haleine chaude dans l'oreille, et tous les autres qui poussaient derrière.

Je n'aurais jamais cru qu'une Austin Healey

pouvait contenir six personnes, en fait je ne le crois toujours pas, mais contre toute vraisemblance, nous atteignîmes le camp.

La fête commença à la minute même de notre arrivée, et à ma connaissance, elle ne finit jamais. Environ six heures après, je décidai de quitter le camp en catimini, mais pas avant d'avoir mis les choses au point avec Calvin.

Curieusement, je constatai qu'elle prenait aussitôt la chose au sérieux et qu'elle était prête à discuter lorsque je lui demandai ses intentions.

— Je ne l'ai dit à personne, fit-elle en me souriant tristement. (Ses lointains yeux verts semblaient plus près de la terre à présent.) Mais je vais partir. Je comprends maintenant que ma présence dans la Tribu n'était qu'une manifestation de ma révolte contre mes parents. Je me suis simplement servi de mes croyances religieuses pour m'évader du monde réel en tâchant de me convaincre que je vivais sur un plan plus élevé. J'avais peur d'affronter mon avenir.

— Qui vous a fait la morale dans cette prison ? m'étranglai-je en la fixant d'un regard incrédule. Pas le sergent Brown, j'espère ? A moins que tout ça ne vienne de vous apparaître dans une révélation ?

— C'est ça, oui, sourit-elle. Une révélation spirituelle à rebours. Je vais prendre cet argent, et retourner à l'université pour étudier l'art et la philosophie. Je deviendrai peut-être professeur, ou écrivain, ou quelque chose comme ça.

— Parfait, soufflai-je, grandement soulagé, et je suppose que mon visage devait le montrer.

— Je vous remercie de vous être fait du souci à mon sujet, dit-elle doucement.

Je l'embrassai légèrement sur la joue et lui dis qu'on se reverrait au procès. Je lui donnai cent dollars cash, puis je filai.

Je venais de sortir de la forêt et me trouvais sur le sommet de la colline qui surplombait le camp, lorsque je compris que quelqu'un me suivait. Je ne craignais plus qu'on me saute dessus avec une seringue hypodermique, mais tout de même, c'est énervant d'entendre des pas derrière soi par une nuit noire, en plein milieu de Dieu sait où.

— Qui est là ? coassai-je. Avancez immédiatement, ou je vous descends, et je dirai aux flics que je vous ai pris pour un lion.

— Hé ! Ne faites pas ça, glapit une voix féminine. Je suis inoffensive !

Une silhouette se détacha de l'obscurité et approcha. C'était Siège-Arrière.

— Je ne sais pas pourquoi, mais j'ai eu la curieuse impression que vous me suiviez.

— Je ne vous suivais pas, murmura-t-elle. Je vous pourchassais.

— Mais que pouvez-vous bien me vouloir ? demandai-je innocemment.

— Si vous ne le savez pas encore, comment vous l'expliquer ?

Elle s'avança lentement vers moi, les yeux vrillés dans les miens comme un cobra fasciné par une étrange musique inaudible à l'oreille humaine ; bientôt, cinquante centimètres seulement nous séparèrent.

Je remarquai qu'elle avait changé de vêtements. Elle ne portait plus son jean en loques, mais une robe qu'elle devait garder dans un sac, au camp. C'était une robe moulante en crêpe rouge, qui enserrait ses hanches et accentuait le merveilleux renflement de sa poitrine saillante. Sous l'ourlet de la robe, je vis soudain briller la couleur rose d'un slip et de la dentelle blanche qui ceignait ses cuisses, tandis qu'elle levait les bras au-dessus de sa tête et qu'elle commençait lentement, délibérément, un tour complet sur elle-même.

— Je me suis habillée exprès pour vous pendant la fête, fit-elle avec une moue. Quand je suis revenue vous chercher, vous étiez parti. Sans même me donner un baiser d'adieu.

— Après votre dernier baiser, j'avais peur que vous ne me laissiez jamais m'en aller, répondis-je en toute franchise.

— Mais maintenant que je vous tiens, vous n'allez pas partir, n'est-ce pas ?

— J'ai besoin de dormir, fis-je d'une voix molle.

— Et vous ne pensez pas qu'il est beaucoup plus sain de dormir sous les étoiles que dans une chambre d'hôtel à l'air vicié ? dit-elle gravement tandis que sa robe glissait sur ses épaules et sur ses cuisses.

Je savais à présent pourquoi elle avait levé les

bras : pour détacher sa robe. Et moi qui croyais qu'elle se grattait le dos !

— Vous n'avez pas froid ? soufflai-je d'une voix rauque en voyant les incroyables globes d'albâtre, parfaitement moulés et décorés de rose au bout, se tendre vers moi.

Il n'y avait pas de quoi être tellement surpris, après tout. Une hippie qui se respecte irait-elle porter un soutien-gorge, surtout quand elle n'en a pas le moins du monde besoin ?

— Un peu, chuchota-t-elle d'un ton railleur. Mais je compte sur vous pour me réchauffer, l'Avocat.

— Appelez-moi Randy.

— Après, peut-être.

Pendant que j'ôtais mes vêtements, elle quitta posément son slip et l'accrocha facétieusement à une branche de pin.

Lorsque nous fûmes tous deux nus et près l'un de l'autre dans l'obscurité, nos corps parurent luire d'un éclat spectral. Je l'attirai fermement contre moi. Elle tremblait de la tête aux pieds. D'incontrôlables petits spasmes de désir électrisaient sa peau.

— Calvin m'a raconté qu'on vous appelle Siège-Arrière parce que vous êtes une grande organisatrice, murmurai-je entre deux baisers. Maintenant, je comprends ce qu'elle voulait dire !

— J'aime aussi qu'on organise à ma place, répondit-elle en souriant. Alors, c'est vous qui allez choisir l'endroit, hein ?

— J'en connais un formidable. On a une vue fantastique de la côte sur trente kilomètres.

— Comment peut-on profiter de la vue par une nuit sans lune ?

— Mais qui t'a parlé de la vue ? Viens !

CHAPITRE XIII

Les bagages étaient dans la Healey et la note d'hôtel payée, quand je décidai de rendre une dernière visite à Harry-Le-Singe avant mon départ.

Dès que j'eus mis le pied sur le perron en bois pourri et frappé à la porte, je remarquai que la maison était étrangement silencieuse. A travers la porte, une légère et lointaine musique résonnait : une symphonie de Beethoven.

Ça ne ressemblait pas du tout à Harry. Comment peut-on concevoir une orgie véritable avec Beethoven en fond sonore ?

— Randall Roberts, l'Avocat, sourit Harry dans l'obscurité de la pièce sans lumière.

Il était à poil. Ça faisait du bien de constater que les choses n'avaient pas toutes changé aussi radicalement.

— Je pars pour San Francisco, alors je suis venu te remercier pour ton aide.

— C'était rien, mec, répondit-il joyeusement. C'est vraiment moche, ce qui est arrivé à J.-C., et tout ça, je suis pas un mouchard, mais ça m'a chanstiqué de voir la tournure que prenaient les événements.

— Tu as très bien agi, Harry, souris-je. J'ai pensé que je pourrais dire au revoir à Jam Jam aussi. Connaissant ses sentiments et...

— Euh... Elle n'est pas là, mec.

Il sourit et frotta sa mâchoire barbue. Je notai qu'il ne m'avait pas invité à entrer.

— Rien de définitif, j'espère ? enfin... Ce n'est pas moi qui ai semé la pagaille, hein ?

— Oh que non, mec ! lâcha-t-il d'une voix surprise. Tu aurais plutôt apaisé les choses.

J'étais en train d'essayer de comprendre ce qu'il pouvait bien vouloir dire lorsqu'une autre silhouette émergea de l'obscurité. Elle était mince, arrondie, blanche et nue, et sa propriétaire se nommait Ronda.

— Bonjour, Randy, fit-elle gaiement.

— Ronda, que faites-vous ici ? demandai-je stupidement.

Mon ton devait ressembler à celui d'un frère aîné consterné.

— Je suis votre conseil.

Elle me lança un sourire séduisant et se pressa contre les flancs velus d'Harry. Son sein droit, ferme et mûr comme une grenade, écrasa le biceps de la bête.

— Mon conseil ?

— Oui, bien choisir son homme, et tout ça...

— Oh !

— Et... Randy ?

— Oui ?

— Vous aviez raison.

— J'ai tellement souvent raison que je ne vois pas bien de quoi vous voulez parler.

— Après, une vierge hait ou aime VRAIMENT le premier.

Des mots, que je n'aurais de toute façon pas dit, s'étranglèrent un peu dans ma gorge, et je souris faiblement.

— Ronda est une belle petite nana, tu trouves pas ? fit Harry avec un large sourire. Je suis bien content que tu l'aies pas dépucelée, mec !

— Je devais avoir perdu la tête, reconnus-je piteusement. Mais Harry, que sont devenues... tu sais... les autres ? demandai-je en chuchotant, ou presque, le dernier mot.

— Pas la peine d'être gêné, mec. Tu peux en parler carrément à voix haute. Ronda est au courant de tout. Mais elles ont déménagé.

— Déménagé ? Tu as dû leur demander de partir à cause de Ronda ?

— Non, je leur ai rien demandé.

Sa grosse face large et poilue se fendit presque en deux dans un sourire à faire pâlir d'envie n'importe quel chimpanzé.

— Elles trouvaient qu'Harry ne se consacrait plus assez à elles, expliqua suavement Ronda, en battant des cils d'un air hypocritement innocent.

— Dommage que t'aies pas été là, mec, sortit Harry à travers son sourire.

— Tu devrais faire gaffe, Harry, dis-je sérieusement en jetant un œil spéculatif sur Ronda. Tu sais comme les relations monogames ça peut devenir ennuyeux ?

— Ouais, mec, c'est ce que j'ai toujours pensé, répondit-il ardemment. Seulement tu sais, les orgies, ça peut devenir chiant aussi. Tu vois ce que je veux dire ? Pour toi, l'autre jour, c'était sûrement le pied, mais pour moi, c'était juste la routine habituelle. Maintenant, avec Ronda, c'est vraiment différent, mec. C'est comme si j'entrais dans un nouveau genre d'existence, mec... Et avec une seule nana ! J'arrive à peine à le croire !

— Moi aussi ! souria joyeusement Ronda.

Harry posa un regard rayonnant sur elle et pinça son mamelon droit entre ses gros doigts velus.

— Moi aussi, lâchai-je.

Mon ton parut peu enthousiaste, même à mes propres oreilles, aussi je décidai qu'il valait mieux que je parte avant de gâcher d'un mot cette atmosphère de lune de miel.

— Et bien mes petits, soyez heureux, fis-je doucereusement, avec une pointe de sarcasme dans la voix. Et ne vous surmenez pas trop. Vous avez toute la vie devant vous.

Harry fronça un peu les sourcils, comme si je venais de lui rappeler quelque chose qu'il avait temporairement oublié. Ronda paraissait hébétée, mais de toute évidence, pas à cause de ce que j'avais dit.

— Au revoir, Randall Roberts, articula Harry

avec intensité. Si jamais je revois Jam Jam, je lui transmettrai tes amitiés.

— Merci.

Et je les laissai s'étreindre, debout dans la sombre entrée. La Déesse Blanche et le Gorille Nu. Tout un programme.

FIN

SÉRIE NOIRE

SOUS LA DIRECTION DE MARCEL DUHAMEL

Dernières parutions :

1531. – O. K. LÉON! .... *Janine Oriano*
1532. – LE BIDASSE INSPIRÉ .... *Russell Braddon*
1533. – LA MALLE ET LA BELLE............ *John Craig*
1534. – FLAMINI L'INVISIBLE .... *Carter Brown*
1535. – LES 401 COUPS DE LUJ INFERMAN' .... *Pierre Siniac*
1536. – LA BOUCLE EST BOUCLÉE .... *Matthew Eden*
1537. – LA POSSESSION .... *Helen Eustis*
1538. – NADA .... *J. P. Manchette*
1539. – LES CHAROGNARDS .... *Joe Millard*
1540. – LE CAPO....................... *F. V. Perrin*
1541. – LA REINE D'AMÉRIQUE .... *Russell H.n Greenan*
1542. – UN CHINOIS QUI VOUS VEUT DU BIEN... *André Gex*
1543. – VIOL A MAIN ARMÉE .... *E. Richard Johson*
1544. – LES TROIS BADOURS .... *Alain Camille*
1545. – VOILEZ VOS TAMBOURS! .... *William Arden*
1546. – L'HOMME AU BOULET ROUGE .... *B. J. Sussman* et *J. P. Manchette*
1547. – LA GRANDE VACHERIE .... *Laurence Henderson*
1548. – MEURTRES ASEPTIQUES .... *Carter Brown*
1549. – LE COMPAGNON INDÉSIRABLE .... *Francis Ryck*
1550. – A COUPS DE TUBE .... *Lillian O'Donnell*
1551. – LE PAQUET...................... *Donald E. Westlake*
1552. – LA MESURE EST COMBLE .... *Robert L. Pike*
1553. – LES CINQ MILLIARDS DE LUJ INFERMAN' *Pierre Siniac*
1554. – SANS APPEL .... *Lewis B. Patten*
1555. – NE VOIS-TU RIEN VENIR?........... *Laurence Henderson*
1556. – PAUVRE, PAUVRE OPHÉLIE........... *Carolyn Weston*
1557. – L'ANGE AUX AILES DE PLOMB ...... *Carter Brown*
1558. – UNE COURONNE POUR LE DON...... *Nick Quarry*
1559. – TERMINUS IÉNA .... *Jean Amila*
1560. – A MORT L'ARBITRE! .... *Alfred Draper*
1561. – CHOC A LA FAC .... *John Alexander Graham*
1562. – FRONTIÈRE INTERDITE .... *Shepard Rifkin*
1563. – MOTO CASSE...................... *Jean-Gérard Imbar*
1564. – MARCHE OU CHANTE .... *Anthony Nuttall*
1565. – PARADIS AU RABAIS .... *Carter Brown*
1566. – LES EMBOBINEURS .... *André Gex*
1567. – LES TRUANDS DANS NOS MURS! .... *Anthony Lenton*
1568. – LE DINDON .... *Matthew Eden*
1569. – LE BAVARD SILENCIEUX .... *Richard Lockridge*

1570. – VOULEZ-VOUS MOURIR AVEC MOI? .. *Francis Ryck*
1571. – RALLYE-MISSILES .... *Robin Esser*
1572. – TCHAO BENITO! .... *Peter McCurtin*
1573. – MAVIS ET LE VICE .... *Carter Brown*
1574. – DU SANG SUR LES COLLINES........ *Brian Garfield*
1575. – MORGUE PLEINE .... *J. P. Manchette*
1576. – DERRIÈRE LA GRILLE .... *Gordon Cotler*
1577. – ALERTE A LA FRAICHE .... *David Craig*
1578. – DÉBACLE A CYBERNIA .... *Lou Cameron*
1579. – SOLEIL ROUGE .... *William Terry*
1580. – COCHONS DE PARENTS .... *Burt Hirschfeld*
1581. – OH, CES AMAZONES! .... *Carter Brown*
1582. – ON DEMANDE UN PIRATE .... *Tony Kenrick*
1583. – PAS DE BOULETTES! .... *Gil Brewer*
1584. – MONDE DES TÉNÈBRES .... *Robert Bloch*
1585. – LE COMPAGNON DE LA NUIT ...... *John Bingham*
1586. – BERRY STORY .... *A. D. G.*
1587. – FRÈRES DE SANG.................. *P. D. Ballard*
1588. – UN JEU DE FOUS .... *Morgan Folsom*
1589. – RETOURS DE CENDRES .... *André Gex*
1590. – LE POSTER MENTEUR .... *Tucker Coe*
1591. – TAILLONS-NOUS! .... *Bill Pronzini*
1592. – JE TE PLUMERAI .... *Mark Sadler*
1593. – L'ÉTAU .... *Edward Atiyah*
1594. – LE BLED AUX MÉCHANTS .... *Jonathan Craig et Richard Posner*
1595. – LES RAILS SONT ROUGES .... *Clifton Adams*
1596. – SOMBRES VACANCES .... *John Buell*
1597. – PORNORAMA...................... *Carter Brown*
1598. – NEW YORK CRIME BLUES........... *Jonathan Craig et Richard Posner*
1599. – APRÈS LE TRÉPAS .... *Ed McBain*
1600. – LE PRIX DES CHOSES.............. *Francis Ryck*
1601. – LA TROISIÈME PEAU .... *John Bingham*
1602. – ATTAQUE AU CHEYENNE CLUB ...... *Phillip Rock*
1603. – L'OMBRE DU TIGRE .... *Michael Collins*
1604. – LE TÉMOIN EN COLÈRE .... *Erle Stanley Gardner*
1605. – MISSION CASSE-TÊTE .... *Edward S. Aarons*
1606. – SOLDATO .... *Al Conroy*
1607. – FURIE A BABYLONE................ *Scott Mitchell*
1608. – L'ORDINATEUR DES POMPES FUNÈBRES. *Walter Kempley*
1609. – LE FUNICULAIRE DES ANGES ...... *Verne Chute*
1610. – LA CORDE EST AU BOUT .... *Wayne D. Overholser*
1611. – A BULLETINS ROUGES.............. *Jean Vautrin*
1612. – L'HIRONDELLE ÉPLORÉE .... *Erle Stanley Gardner*
1613. – PORTRAITS GRATIS .... *Richard Stark*
1614. – COMME IL Y VA! .... *Al Conroy*
1615. – VOUS SAISISSEZ? .... *Joe Gores*
1616. – LE CASSEUR VOUS SALUE........... *Kenneth Royce*
1617. – A JETER AUX CHIENS .... *Dorothy B. Hughes*
1618. – LA PISTE DU CHAT-TIGRE.......... *Jeff Clinton*
1619. – FLUIDES .... *Mark McShane*
1620. – L'ENVOLÉ .... *Erle Stanley Gardner*
1621. – AU CHARBON, LES HOMMES! .... *Rupert Croft-Cooke*

LES GRANDS CLASSIQUES
DE LA SÉRIE NOIRE SONT DÉSORMAIS
RÉIMPRIMÉS DANS

CARRÉ NOIR

COLLECTION A COUVERTURE
ILLUSTRÉE

Dernières parutions :

91.	Carter Brown	*Cible émouvante.*
92.	Donald Downes	*Bourreau, fais ton métier.*
93.	Jim Thompson	*Le lien conjugal.*
94.	Albert Simonin	*Touchez pas au grisbi!*
95.	James Hadley Chase	*Eva.*
96.	Jean Amila	*Noces de soufre.*
97.	Dashiell Hammett	*La clé de verre.*
98.	John McPartland	*Le mal des cavernes.*
99.	Henry Kane	*Le panier de crabes.*
100.	William P. McGivern	*Vol en vol.*
101.	Carter Brown	*La tournée du patron.*
102.	James Hadley Chase	*Voir Venise... et crever.*
103.	James Hadley Chase	*A vous le plaisir.*
104.	José Giovanni	*La Scoumoune (l'excommunié).*
105.	Richard S. Prather	*Un strapontin au paradis.*
106.	Raymond Chandler	*Le grand sommeil.*
107.	James Hadley Chase	*En trois coups de cuiller à pot.*
108.	James Hadley Chase	*Ça n'arrive qu'aux vivants.*
109.	Day Keene	*Deuil immédiat.*
110.	Francis Ryck	*Ashram drame.*
111.	Albert Simonin	*Le cave se rebiffe.*
112.	Carter Brown	*Trois cadavres au pensionnat.*
113.	Carter Brown	*Allez roulez !*
114.	James Hadley Chase	*Officiel!*
115.	James M. Fox	*Renversez la vapeur.*
116.	Dashiell Hammett	*Le faucon maltais.*
117.	Jonathan Latimer	*Quadrille à la morgue.*
118.	Albert Simonin	*Le hotu.*
119.	José Giovanni	*Meurtre au sommet.*
120.	James Hadley Chase	*En galère !*
121.	Ian Fleming	*Entourloupe dans l'azimut.*
122.	Dick Francis	*Patatrot.*

123. Chester Himes	*Il pleut des coups durs.*
124. Albert Simonin	*Le hotu s'affranchit.*
125. Carter Brown	*Taille de croupière.*
126. Richard Burnett	*Quand la ville dort.*
127. Carter Brown	*Adios Chiquita!*
128. James Hadley Chase	*L'Héroïne d'Hong-Kong.*
129. James Hadley Chase	*Un lotus pour Miss Chaung.*
130. Carter Brown	*Solo de baryton.*
131. Robert Finnegan	*Des monstres à la pelle.*
132. Ian Fleming	*Les diamants sont éternels.*
133. James Hadley Chase	*Le denier du colt.*
134. Bill Goode	*Micmac maison.*
135. Raymond Chandler	*Adieu ma jolie.*
136. A. L. Dominique	*Le gorille dans le pot au noir.*
137. Chester Himes	*Couché dans le pain.*
138. Albert Simonin	*Hotu soit qui mal y pense.*
139. James Hadley Chase	*Trop petit mon ami.*
140. Harold Q. Masur	*Les pieds devant.*
141. Virgil Scott	*Jusqu'à la gauche.*
142. Albert Simonin	*Grisbi or not grisbi.*
143. Viard et Zacharias	*L'aristocloche.*
144. James Hadley Chase	*Chantons en chœur.*
145. Robert Faherty	*La cage de l'oncle Bill.*
146. Raf Vallet	*Mort d'un pourri.*
147. John D. MacDonald	*La foire d'empoigne.*
148. William Stuart	*Passage à tabac.*
149. Don Tracy	*Tous des vendus!*
150. James Hadley Chase	*Cause à l'autre.*
151. Carter Brown	*On se tape la tête.*
152. J.P. Manchette	*Nada.*
153. James Hadley Chase	*Le zinc en or.*
154. Donald Westlake	*Festival de crêpe.*
155. James Hadley Chase	*Simple question de temps.*
156. David Dodge	*Trois tondus et un pelé.*
157. James Hadley Chase	*Tueur de charme.*
158. Carter Brown	*Y a du tirage.*
159. John Le Carré	*L'appel du mort.*
160. James Hadley Chase	*Un beau matin d'été.*
161. Carter Brown	*Télé-mélo.*
162. Frank Kane	*Comme des mouches!*
163. William March	*Graine de potence.*
164. Léo Rosten	*Fait comme un rat.*
165. Carter Brown	*La bergère en colère.*
166. Allan Chase	*Ote-toi de mon soleil!*